LA BÊTE À SA MÈRE

S'édenter la chienne, Écrits des Forges, 2014.

Premiers soins, Écrits des Forges, 2012.

« À l'endroit de nos visages », *Lèvres urbaines*, vol. 44, Écrits des Forges, 2012.

Mines à vacarme, Universlam (France), 2012.

DAVID
GOUDREAULT

LA BÊTE
À SA
MÈRE

STANKÉ

Une société de Québecor Média

Catalogage avant publication de Bibliothèque et Archives nationales du Québec et Bibliothèque et Archives Canada

Goudreault, David, 1980-
    La bête à sa mère
    ISBN 978-2-7604-1170-8
    I. Titre.
PS8613.O825B47 2015   C843'.6   C2015-940288-3
PS9613.O825B47 2015

Édition : Marie-Eve Gélinas
Révision et correction : Marie Pigeon Labrecque, Martin Duclos
Couverture, mise en pages et grille intérieure : Axel Pérez de León
Photo de l'auteur : Jean-François Dupuis (à la prison Winter de Sherbrooke)

Cet ouvrage est une œuvre de fiction ; toute ressemblance avec des personnes ou des faits réels n'est que pure coïncidence.

Remerciements
Nous reconnaissons l'aide financière du gouvernement du Canada par l'entremise du Fonds du livre du Canada pour nos activités d'édition.
Nous remercions le Conseil des Arts du Canada et la Société de développement des entreprises culturelles du Québec (SODEC) du soutien accordé à notre programme de publication. Gouvernement du Québec – Programme de crédit d'impôt pour l'édition de livres – gestion SODEC.

Les Éditions internationales Alain Stanké
Groupe Librex inc.
Une société de Québecor Média
La Tourelle
1055, boul. René-Lévesque Est
Bureau 300
Montréal (Québec) H2L 4S5
Tél. : 514 849-5259
Téléc. : 514 849-1388
www.edstanke.com

Dépôt légal – Bibliothèque et Archives nationales du Québec et Bibliothèque et Archives Canada, 2015

ISBN : 978-2-7604-1170-8

Distribution au Canada
Messageries ADP inc.
2315, rue de la Province
Longueuil (Québec) J4G 1G4
Tél. : 450 640-1234
Sans frais : 1 800 771-3022
www.messageries-adp.com

Diffusion hors Canada
Interforum
Immeuble Paryseine
3, allée de la Seine
F-94854 Ivry-sur-Seine Cedex
Tél. : 33 (0)1 49 59 10 10
www.interforum.fr

« Même les horloges brisées donnent
l'heure juste deux fois par jour. »

Sagesse populaire

À la mémoire de Lucie Picard,
avec mille regrets.

PROLOGUE

Vous avez trouvé le cadavre. Vous devez disposer de toutes les preuves circonstancielles et médico-légales dont vous avez besoin. L'affaire est classée, vous avez déjà tiré vos conclusions.

Mais on ne peut arriver à sa conclusion avant de connaître l'histoire.

Voici ma version. Je me livre à cœur ouvert. Ça ne changera rien, peut-être. Peut-être tout, aussi. Si ça n'excuse pas mon geste, ça peut l'expliquer. L'essentiel est dans ce document. Vous y trouverez des circonstances atténuantes ou aggravantes. Je prends le risque.

Vous pourrez croire que c'est romancé ou que je me donne le beau rôle. Dans mes souvenirs, dans ma tête, c'est ce qui est arrivé. C'est ma vérité et c'est la seule qui compte… Je vous laisse en juger.

Je vous jugerai aussi, en temps et lieu.

Je demande que ce document soit déposé en preuve et remis aux jurés. Je suis prêt à corroborer chaque paragraphe sous serment.

1
La résilience

Ma mère se suicidait souvent. Elle a commencé toute jeune, en amatrice. Très vite, maman a su obtenir la reconnaissance des psychiatres et les égards réservés aux grands malades. Électrochocs, doses massives d'antidépresseurs, antipsychotiques, anxiolytiques et autres stabilisateurs de l'humeur ont rythmé les saisons qu'elle traversait avec peine. Pendant que je collectionnais des cartes de hockey, elle accumulait les diagnostics. Ma mère a contribué à l'avancement de la science psychiatrique tant elle s'est investie dans ses crises. Si ce n'était du souci de confidentialité, je crois que certains centres universitaires porteraient son nom.

Ma mère était discrète et se suicidait en cachette, la plupart du temps. Contrairement à ce que prétendent les rapports officiels, je n'étais pas affecté par ses habitudes. Quand maman sortait la tête de ses enfers, c'était une femme merveilleuse. Les spécialistes peuvent bien aller se pendre eux aussi, avec leurs pseudo-analyses de nos liens d'attachement.

La première fois que je l'ai trouvée, elle était nue et gémissait sur le carrelage de la salle de bain. J'avais quatre ans. Maman s'était extirpée de la baignoire, où macérait un bouillon rougeâtre laissant deviner qu'elle s'y était charcutée. Les poignets, surtout. Elle m'avait réveillé en poussant de petits cris aigus mêlés de sanglots. Dès que j'ai osé glisser ma tête dans l'embrasure de la porte, elle m'a ordonné d'aller chercher Denise. J'ai figé. Je crois que c'est normal. La nudité de ma mère, le couteau à steak et le sang dans le bain dressaient un drôle de tableau. Ce n'était pas une scène familiale adéquate, comme on me le confirmerait plus tard. Ça faisait désordre. J'avais envie de ramasser et de ranger le couteau, au moins. Ma mère se couvrait le sexe maladroitement et vociférait de plus belle. *Va dire à Denise d'appeler l'ambulance, maudit sans-génie !* Lorsqu'elle commençait à utiliser mes surnoms, la claque n'était jamais loin. *Vas-y, je t'ai dit !*

Denise habitait l'étage du dessous. Le triplex étant mal insonorisé, je savais systématiquement à quel moment elle se réveillait. Sourde, elle écoutait la télévision à plein volume. Je déjeunais régulièrement chez elle. Dans une armoire de la cuisine, une boîte de Cap'n Crunch m'était exclusivement destinée. Je me collais sur Denise dans le grand divan de cuirette brune toute craquelée et je grignotais mes céréales. Je tentais de suivre le fil des postes qu'elle changeait compulsivement. Elle arrêtait quelques secondes de plus à la chaîne de la météo. Ça me fascinait, car elle ne sortait jamais, se faisant même livrer son épicerie et mes précieuses céréales. Elle savait tout de même, toujours, le temps qu'il faisait. *On sait jamais, ti-gars, on sait jamais rien.* C'était une sage, Denise.

Qu'est-ce que t'attends, que j'y aille moi-même ? Déniaise ! Maman avait réussi à se relever et à se cacher le bas du corps en se recroquevillant entre le bain et la cuvette de la toilette. Je me suis dit qu'elle se donnait bien du mal pour cacher un peu de poil. Je n'avais encore que la tête d'impliquée dans la situation. J'hésitais entre me jeter dans les bras de ma mère, l'aider à ramasser son dégât ou obéir et aller quérir l'aide de Denise. *Vas-y, câlisse !* Je me suis précipité chez la voisine.

Denise me demandait de lui masser les pieds à chacune de mes visites. C'était tout sec et il y avait des bosses blanches et rugueuses, mais je me prêtais au jeu. C'était ma part de sacrifice dans notre relation symbiotique. Je la chatouillais parfois et on riait tous les deux. Malgré les cinquante-quatre années qui nous séparaient, je n'ai jamais eu de meilleure amie. C'est la seule femme à m'avoir dit que j'étais beau. Je suis beau. Je le sais, mais on me le dit peu car j'impressionne les femmes. Denise, elle, avait su m'apprivoiser. Elle m'aimait, mais elle n'était pas nombreuse.

Dans l'empressement, je n'avais pas mis mes bottes et les escaliers de fer me mordaient les pieds. Il faut dire que c'était un mois de novembre particulièrement froid. Sa porte n'était jamais verrouillée. Sans même penser à frapper, je me suis engouffré dans la maison en appelant Denise. N'obtenant pas de réponse, j'ai foncé directement vers sa chambre et j'ai poussé la porte entrebâillée. La terreur m'a paralysé. Les traumatismes s'empilaient.

Assise sur le coin du lit, dans la lumière de la lune
filtrant entre les persiennes, son regard ahuri planté
dans le mien, Denise tenait ses cheveux dans ses mains.
Loin de sa tête. Ne lui restaient que quelques touffes
de poils éparses sur le crâne. Sa chevelure s'était dissociée. Son scalp serré entre ses doigts, elle m'a dévisagé et a marmonné *mes cheveux*. Elle a voulu les
reloger sur sa tête, mais il était déjà trop tard. Cette
image a marqué mon cerveau au fer rouge. Plus que
le corps de ma mère sur le plancher de la salle de bain,
d'ailleurs.

Denise a appelé les secours. Je n'osais plus la
regarder. Je me suis gavé de Cap'n Crunch jusqu'à
la nausée, attendant que ma mère parte en ambulance
et qu'on m'emmène dormir au centre d'accueil. J'étais
reconnaissant, tétanisé à l'idée de dormir chez Denise.
Si la femme chauve était bien Denise. Je n'étais plus
sûr de rien.

J'ai souvent revu ma mère se suicider, selon les
changements de médication et de conjoints, mais je
n'ai jamais revu Denise. J'en conserve un bon souvenir, un sentiment de sécurité mêlé de frayeur.
Depuis, les Cap'n Crunch goûtent la nostalgie et j'ai
une phobie des perruques.

Je connais bien le Québec. J'ai déménagé plus souvent qu'à mon tour et mon tour venait souvent. Tous mes souvenirs d'enfance sont liés à des noms de villes, eux-mêmes associés aux drames ayant ponctué ma jeunesse. Shawinigan, ce sont les intoxications aux médicaments et les bruits de régurgitation. Trois-Rivières-Ouest, la volée que René le tatoué avait infligée à ma mère dans l'entrée de l'immeuble. Sainte-Foy, la surdose de Xanax et la balade en ambulance. Donnacona, les coups de Mario en pleine rue, et finalement Québec, où a eu lieu la fameuse pendaison. La barre du rideau de douche a lâché dans un fracas mêlé aux blasphèmes de ma mère.

Les secours ne se déplaçaient pas à chaque suicide. Cette fois-là, par contre, le propriétaire de l'immeuble, qui habitait au-dessous de nous, a débarqué en furie. Déjà qu'il nous considérait, à tort, comme des parasites bruyants, le vacarme qu'ont produit le corps et la barre de métal dans le fond du bain l'a alarmé. Il a surgi sans même cogner et a découvert ma mère se débattant avec sa ceinture de robe de chambre autour du cou et la barre du rideau de douche de travers entre les jambes. Comme moi, quelques années plus tôt, dans une autre salle de bain, il a figé. Comme quoi il n'y a pas d'âge ; ça impressionne.

J'imagine qu'elle a persévéré, mais c'est la dernière fois que je l'ai vue attenter à ses jours. On nous a définitivement séparés. Pour ma sécurité et son équilibre. Cela m'a paru aussi logique que d'interdire la neige en hiver ou la sloche au printemps. Je savais bien, moi, qu'elle ne mourrait jamais et qu'il n'y avait que ses berceuses pour m'apaiser. On était une famille spéciale, mais une famille quand même. On avait besoin l'un de l'autre. On n'a pas déménagé à temps. *Les services sociaux nous ont eus*, comme elle disait. J'aurais tout donné pour retrouver ma mère, mais les enfants de sept ans ne siègent pas aux tables multidisciplinaires des services de protection de la jeunesse.

Ils ont refusé de me dire où ils la séquestraient. J'ai réussi à voler mon dossier, une fois, mais ils l'ont repris avant que j'aie le temps de le consulter. Une seule intervenante s'est échappée, une nuit que je réveillais tout le centre d'accueil, pris d'une millième crise. *Ta mère s'est cachée au fond de l'Estrie. Pour rien. Elle a eu un autre enfant, mais on lui a pris dès la naissance. Tu la reverras pas. Dors!*

Elle a dû se suicider fort après ça. Elle aime tellement les enfants.

Mon père était probablement un aventurier, consacrant sa vie à l'aide humanitaire. Ou un assisté social. Il était trafiquant d'armes et professeur de karaté, aussi. En fait, il pouvait être n'importe quoi, car je n'ai jamais su qui il était, encore moins ce qu'il faisait. Ma mère m'a dit qu'il s'appelait soit Marco, soit Louis. Malgré toute sa bonne volonté, elle n'a pas su me donner plus d'informations à son sujet.

Ce qui est merveilleux et terrible quand ton arbre généalogique se limite à une branche brisée, c'est que tout est possible. J'étais le descendant direct du plus grand joueur de hockey de l'histoire ou le bâtard du pire trou de cul. Selon mes humeurs. Parfois, j'étais tout ça à la fois. Le chat de Schrödinger peut aller se rhabiller.

Je ne connais même pas mon véritable patronyme. Ça aussi, c'est particulier. Je suis lié par le sang et par un nom mystérieux à tout un paquet d'inconnus. C'est un peu comme si je faisais partie d'une immense confrérie et que j'étais le seul à ne pas le savoir. En même temps, ça me force à opérer en circuit fermé. Tout s'arrête à moi. Je ne sais pas d'où je viens et je n'ai rien à léguer. Une branche brisée au pied d'un arbre mort. On ne peut trouver plus libre.

Il m'arrive encore de scruter les miroirs à la recherche de ses traits. Je me demande si je le reconnaîtrais si je venais à le croiser. A-t-il de l'acné et le menton proéminent comme moi ? Est-il roux, mais presque brun, pas vraiment roux, comme moi ? Est-il mince, efflanqué comme je le suis ? Quand un inconnu me dévisage, je suppose que c'est une connaissance de mon père qui est surpris par la ressemblance. J'ai espéré qu'on m'aborderait et qu'on me raconterait toute l'histoire, qu'on m'expliquerait les aventures incroyables l'ayant éloigné de moi, contre son gré, durant tout ce temps. Il m'est arrivé aussi de croire qu'il était mort, tout simplement. Ça aurait clarifié bien des choses.

Je souhaite qu'il soit mort, maintenant.

Donc, j'ai grandi en familles d'accueil. Au pluriel. J'enfilais les familles comme les anniversaires. Les intervenants aussi. Déménagements, changements de garde, transferts scolaires, refontes des plans d'intervention.

Je n'ai jamais aimé les familles d'accueil. Tout le monde disait croire en moi, mais personne ne croyait ce que je disais. Un paradoxe parmi tant d'autres. Évidemment, je mentais, mais tout le monde ment. Tout le temps. À soi, aux autres, au gouvernement et à je ne sais qui encore. Tout le monde le fait, mais quand tu es pris en charge par l'État et que tu dépasses un certain quota, c'est cuit, on ne laisse plus rien passer. C'est un engrenage. Une menterie doit couvrir un mensonge qui couvrait une menterie, et finalement tu te retrouves avec une collection de couvertures, mais tu dors assez mal. De toute manière, même quand je disais la vérité, on ne m'écoutait pas. J'étais un malentendu.

Pourtant, j'y mettais tout mon cœur. Il m'arrivait même de me convaincre. Je me faisais confiance. C'est important de croire en soi, surtout quand on se ment !

Une travailleuse sociale m'a un jour prévenu que les petits hypocrites comme moi finissent toujours par frapper un mur. On m'a aussi dit qu'on apprend en se pétant le nez. Un dans l'autre, j'étais destiné à l'érudition.

Je lisais tout ce que je trouvais, d'ailleurs. On me laissait tranquille quand je lisais ; c'est sacré, la lecture. Les enfants m'ignoraient enfin et les adultes avaient un moment de répit. Je lisais même des dictionnaires. Sans tout comprendre, comme on lit de la poésie, en me laissant imprégner. Je marinais dans la littérature, ça me suit et me sert encore aujourd'hui. J'avais un penchant pour les dictionnaires de citations. Ça fait voyager. J'aimerais bien écrire des citations un jour. Il faudrait que je vérifie le processus de publication.

Je lisais, donc. Dans l'autobus, dans mon coin de la cour de récréation, dans les maisons où on me trimbalait, aux toilettes et dans mes insomnies. Au briquet, c'est risqué. Toute mon enfance imprimée de bandes dessinées, de romans, de revues pornographiques et de dictionnaires. Je suis visuel.

On m'a dit que je ne comprenais pas tout, car je suis dysphasique. Ça ne m'impressionne pas, leur diagnostic bidon. Je ne comprends pas toujours le sens des mots ? On n'a pas compris le sens de la vie encore, alors que le sens de certains mots m'échappe n'est pas alarmant.

Pourtant, dès la première année du primaire, on m'a parqué dans une classe pour élèves victimes de troubles d'apprentissage. Je crois plutôt qu'ils ne voulaient pas se donner le trouble de m'apprendre quoi que ce soit, les cons. La plupart des professeurs se souciaient aussi peu de mes résultats scolaires que de mes humeurs dépressives. La quiétude de la classe, par contre, était primordiale pour eux. J'aimais bien mettre un peu d'ambiance, alors je me retrouvais souvent dans le corridor ou au bureau d'une directrice.

Avec le recul, je peux affirmer que j'ai développé ma plume et ma calligraphie grâce aux tonnes de copies que j'ai dû produire. Si on apprend sur le tas, moi, j'ai appris sous le tas de copies.

Je ne parlerai plus en classe. Je respecterai les enseignants. Je ne volerai plus. Je ne me battrai plus. Je n'insulterai plus le chauffeur d'autobus. Je ne tirerai plus les cheveux d'Ariane. Je respecterai les rangs dans le corridor. Les semaines passaient, puis on recommençait dans le désordre : *je ne volerai plus, je respecterai les rangs, je ne mordrai plus Ariane,* etc. L'efficacité de ce béhaviorisme basique était toute relative.

En plus des copies, on m'envoyait régulièrement au local de retrait. *L'accalmie, Le transit* ou *La réflexion,* selon les établissements. Vraiment, l'effort alloué à nommer ces locaux n'avait d'égal que leur inefficacité à nous sculpter la sphère cognitivo-comportementale si chère aux éducateurs. En fait, c'étaient des endroits plutôt cool où les élèves les plus intéressants, les plus dégourdis, se repéraient mutuellement. Pour moi, du moins, ce furent de hauts lieux de rencontres amicales, voire d'associations criminelles.

Je dis rencontres amicales, mais je n'ai jamais eu de véritables amis. À part Denise, dans sa version avec cheveux. Question de confiance, je crois. L'amitié implique un certain don de soi et je n'arrivais même pas à me suffire, alors je n'avais pas les moyens de me donner aux autres. J'utilisais et me laissais utiliser, au besoin. Je crois que je suis trop intelligent pour avoir un ami. Le monde est décevant en général. Et il y a beaucoup de cas particuliers, c'est documenté.

Je dis aussi associations criminelles, mais je n'avais pas encore poussé mes capacités à leur limite dans ce champ d'activité. Un peu de trafic par-ci, des petits vols organisés par-là, mais sans créer de réelles alliances durables. L'humain est égocentrique. Je pressentais qu'une association, en milieu scolaire, risquait de me mettre des délateurs dans les pattes. Je voyais grand et loin. J'aspirais à la mafia russe ou, mal pris, italienne. Pas les motards ; ils manquent de classe.

Bon an mal an, j'ai poursuivi ma scolarisation en compilant les diagnostics et les échecs. J'étais destiné à une carrière cinématographique tant je me spécialisais dans le doublage. En français, ça allait, mais je coulais toutes les autres matières les doigts dans le nez. Même les arts plastiques. Je me fabriquais des pipes à fumette lors de la manipulation de l'argile et je ne dessinais que des femmes nues. J'élaborais une étude des courbes et des perspectives. Les grands génies sont incompris.

Du point de vue comportement revenait toujours *plus que place à l'amélioration* et j'accumulais les conséquences mineures liées à mes agissements dits problématiques. Jusqu'en cinquième année, première semaine d'école, fin de la troisième période, à midi et douze minutes. Je suis marqué.

Tous mes camarades avaient quitté la classe pour le dîner. Je traînais derrière, rangeant mes croquis pornographiques dans mon pupitre. Étonné, j'ai constaté que Pierre-Louis, l'enseignant, m'avait oublié. Il était parti avec les élèves et je régnais sur les lieux.

J'ai entamé ma fouille par les sacs à dos et les étuis à crayons. J'ai volé quelques gommes à effacer à l'effigie de superhéros, une barre tendre et une bande dessinée. J'errais sans but précis, grisé par les opportunités que je ne parvenais pas à bien évaluer. J'ai collé des crottes de nez sur le tableau noir et sur les effets personnels d'Ariane. Je suis arrivé rapidement à court de ressources organiques. Je tournais en rond. J'ai été tiré de ma torpeur par un léger couinement. Au fond de la classe s'agitait Touffu, le cochon d'Inde. On ne pouvait le caresser qu'en présence de M. Pierre-Louis, c'était une règle stricte. Il était très gras et joli – le cochon d'Inde, pas Pierre-Louis. Caramel brûlé et blanc, si je me souviens bien. Il ne fallait, sous aucun prétexte, le laisser sortir de sa cage.

Je l'ai étouffé méticuleusement, par curiosité. Ma main faisait à peine le tour de son corps, sa tête et son cul dépassant à chaque extrémité de mon poing. Je le sentais grouiller et se débattre inutilement. Ses petites griffes, prises d'une agitation frénétique, me chatouillaient le creux de la paume. Je l'ai serré plus fort. J'ai entendu un craquement. Du sang lui coulait de la gueule. Il avait les yeux complètement exorbités. J'ai exercé une légère pression et un peu de ses tripes lui sont sorties par l'anus. J'ai sursauté et l'ai laissé tomber au fond de la cage, tout à son agonie.

À ma recherche, Pierre-Louis est entré dans la classe pour me trouver blême, à côté de la cage. Il s'est précipité directement vers elle sans même me regarder. Découvrant Touffu mourant dans sa sciure de bois, il a lâché un sacre, puis un autre en se tournant vers moi. Automatiquement, j'ai pensé à le dénoncer à la directrice pour son langage inacceptable, mais la gravité de ma propre situation, plutôt compromettante, m'en a dissuadé. Par peur ou par réflexe de protection, je me suis mis à brailler, à chaudes larmes, en vain. Il m'a attrapé par le bras et m'a traîné jusqu'au bureau de la direction, où la décision de m'expulser définitivement a soulagé une frange importante de la commission scolaire.

Du même élan, on m'a changé de famille d'accueil et je suis allé compléter mon primaire dans une classe de cheminement particulier dans une autre école, encore. Dans cette classe, il n'y avait pas de rongeur. Par contre, il y avait Mme Dubois. Son prénom était France, mais on n'avait pas le droit de l'employer. De toute façon, il n'y avait probablement personne au monde qui utilisait son prénom. C'était trop personnel. Il était évident que cette grosse conne froide et rigide n'était aimée de personne. Elle avait sûrement abouti en enseignement parce qu'ils ne voulaient pas d'elle dans l'armée. Pourtant, carrure et moustache à l'appui, c'était une femme très virile.

Chaque chose avait sa place et Mme Dubois répertoriait chacun des manquements à l'ordre. Dans sa tête cartésienne à mort, pleine de grilles, nos noms apparaissaient avec des crochets pour chacune des fautes commises. Elle pouvait me reprocher précisément le nombre de fois où j'avais négligé de remettre l'efface du tableau sur le bon support. Tout devait être propre et prêt à servir. Elle répétait souvent que, si chaque personne fonctionnait comme elle, le monde irait bien. Il irait bien se jeter en bas d'un pont, oui.

Mme Dubois avait réussi à créer une belle cohésion dans sa classe, tout articulée autour de la haine qu'on lui portait. Combien de récréations ont été consacrées à établir des plans de vengeance à son endroit ? Combien de poings crispés ont rêvé de lui fracasser les arcades sourcilières ? Son régime dictatorial était aussi détesté qu'efficace. J'ai terminé mon cursus primaire l'année même et j'ai quitté ce petit enfer pour les classes spécialisées de la polyvalente publique.

2
La débrouillardise

Mon arrivée à l'école secondaire s'est éclairée d'une prise de conscience : l'essentiel dans les milieux hostiles n'est pas d'être le plus fort mais le plus fou. C'est documenté.

Je n'étais pas très musclé, mais j'ai vite appris à me battre. Il faut viser les testicules, le plexus solaire ou les yeux. Là où ça fait mal. Mais *boxing is nothing*, disait Cassius Ali. Il était bien placé pour le savoir, il a personnellement cassé plein de gueules. L'important n'est pas la boxe, donc, mais tout ce qu'on peut y ajouter. Je traînais toujours des armes, et je gardais une roche serrée dans mon poing, pour en augmenter le volume et la dureté.

Malgré toutes mes précautions, il m'est arrivé de perdre des combats. Trop à mon goût. Ce n'est pas grave, outre les séquelles, ce qui ne nous tue pas nous rend plus forts. Pas de doute, je suis un homme fort.

Knowledge is power, disait aussi Eazy-E, célèbre chanteur de Compton. Je savais qu'il me fallait cultiver le jardin secret de mon cerveau. Je conservais mes habitudes et lisais. Je volais tout ce que je trouvais d'intéressant à la bibliothèque municipale. Il m'arrivait aussi de piquer en librairie, mais l'alarme sonnait plus souvent. C'était autant d'occasions de faire mon jogging.

La première fois que j'ai tué un chat, j'ai été aussi surpris que lui. En fait, aussi surpris qu'elle, car c'était une petite chatte répondant au nom de Mimine. Mimine était un joli fruit des ébats de fond de ruelle, son pelage bâtard mêlant savamment le brun, le noir et le roux. C'était un membre à part entière de la famille d'accueil de l'époque, la famille Doucet. Je faisais mes quatorze ans, Mimine en avait trois.

Depuis quelques mois déjà, j'avais pris l'habitude de torturer des animaux quand j'étais contrarié. Je devais être très contrarié ce jour-là. L'animal n'a pas survécu à la rencontre de la force centrifuge et du cadre de porte de ma chambre. Le bruit était particulier, mou et sec à la fois. Je tenais toujours Mimine par la queue, assis sur le coin de mon lit, lorsque l'escalier a craqué.

Robert descendait, la panique m'a envahi. J'ai glissé le chat sous la couverture et me suis étendu dessus. *Quel bruit ?* Non, ce n'était pas moi qui avais fait ce bruit. Non, je n'avais rien cloué au mur. Oui, je montais dîner. Robert, patriarche débonnaire d'une famille relativement fonctionnelle, avait l'œil sur moi, l'œil de lynx. Il ne pouvait se passer du revenu que les services sociaux lui assuraient pour mes soins mais répétait sans cesse qu'il en avait plein son casque de mes niaiseries et que j'étais à deux pas de la porte. Je n'appréciais pas particulièrement la baraque ni les personnes y habitant, mais j'avais accumulé une certaine lassitude des déménagements. J'aimais avoir ma petite chambre à l'écart, au sous-sol. Et, surtout, c'était la première famille où j'avais accès à Super Écran. C'est génial, Super Écran, le vendredi après minuit.

Il fallait se débarrasser du cadavre.

Conformément aux habitudes de la maison, j'étais interdit de sortie ce dimanche-là. J'ai planqué le cadavre pour la journée, enroulé dans une serviette, entre le matelas et le sommier, attendant le lundi matin. Une partie de la soirée a été consacrée à chercher le chat manquant. J'y ai simulé une belle énergie. On s'est attardé à ma chambre, sans succès.

Heureusement pour moi, j'étais déjà un grand fan de hip-hop et l'affichais fièrement. Mon pantalon surdimensionné m'a donc permis, à l'aide de duct tape, de scotcher Mimine à l'intérieur de ma cuisse gauche au moment de quitter la maison. La rigidité cadavérique gênait un peu mes mouvements, mais j'arrivais à conserver une démarche presque normale. Suffisamment pour déjeuner et quitter la demeure sans être repéré. Manuels scolaires sous le bras, j'ai descendu la rue en me maudissant d'avoir échangé mon sac à dos contre un buvard de LSD. Les démangeaisons se sont installées et se sont amplifiées de minute en minute. J'avais trop serré le ruban gommé. Ma jambe était tout ankylosée. C'était peut-être mieux comme ça, les poils me chatouillaient moins. Le trajet d'autobus a été interminable, on était trois sur le siège et je ne pouvais discrètement me gratter l'entrejambe.

Arrivé à l'école, prudent, j'ai fumé ma cigarette matinale puis me suis dirigé aux toilettes. Assis sur le trône, le cadavre de Mimine sur les genoux, j'ai attendu que la cloche sonne, que la pièce se vide, puis j'ai camouflé l'objet de mon délit dans la poubelle, sous un tas de papiers à mains souillés. J'ai dû courir jusqu'à mon cours. En vain, la prof préparait déjà ma feuille de retenue.

C'était une journée de polyvalente ordinaire. Du bourrage de crâne, des poussées d'hormones et un peu d'intimidation subie aussitôt transférée à plus petit. J'aimais bien l'agitation ambiante et les filles, surtout. En retour, elles ne m'aimaient pas. J'avais mauvaise réputation et j'étais trop mature pour mon âge. Je n'ai jamais réussi à en baiser une. Mes seuls ébats adolescents ont eu lieu en cachette derrière un manège rouillé lors de l'exposition agricole. La fille était légèrement déficiente et laide alors ça ne compte pas vraiment. Je regrette parfois de ne pas avoir su m'adapter aux attentes des nymphettes de l'époque. J'allais me rattraper.

Bien que l'opération camouflage ait été un succès, on m'a fait porter le chapeau de la disparition de Mimine. On a argué que la chatte ne s'était jamais sauvée avant, que Robert avait entendu une porte claquer la veille, que je fumais en cachette et que j'avais dû la laisser sortir en passant par le garage. On m'accusait sans preuves. Je l'ai vécu comme une grande injustice. J'ai souligné ma révolte en trouant un mur à coups de pied. J'ai été transféré illico dans une autre famille d'accueil. Là, il y avait un chien.

C'était une famille d'obèses. Je n'ai absolument rien contre les obèses, mais je considère qu'il faut beaucoup de veulerie pour laisser son corps dégénérer à ce point. Les glandes, mon cul ! En plus de papa gras et maman grosse, il y avait leur fille Jenny, qui n'était pas en reste. D'ailleurs, elle n'en laissait jamais, des restes. Moi, je m'assurais toujours d'en laisser, en jouant avec ma nourriture, portant des bouchées à ma bouche avant de les reposer dans l'assiette. Ça les rendait fous, les gros. Et je riais dans ma barbe. Dans mon duvet de moustache, pour être précis.

Ils suaient tous abondamment. Mais ce qui était le plus particulier, c'est qu'ils suaient de la raie, à l'effort. Forcément, leurs peaux distendues leur faisaient de longues raies. Je devais continuellement essuyer le siège des toilettes. Sur le plastique blanc, de petites perles de sueur luisaient à l'arrière et au-devant de l'anneau de plastique. Il m'est arrivé de l'oublier et de m'asseoir dans leurs toxines. Ça me coupait l'envie, même l'envie de vivre.

Trois autres jeunes étaient placés sous la protection de cette famille moite. Tous des petits couillus pleins de testostérone comme moi. On occupait le sous-sol et on s'occupait à s'altérer la conscience par tous les moyens possibles. Bien sûr, on trouvait diverses substances à l'école et dans le quartier, mais on savait aussi faire preuve d'une grande ingéniosité. Par exemple, plutôt que de seulement inhaler de l'essence, on en vidait dans une canette métallique qu'on chauffait pour en dégager les vapeurs. On mélangeait également du liquide correcteur avec des médicaments broyés qu'on prisait. On surveillait les effets des mélanges dans le faciès des autres. L'essentiel de nos temps libres était consacré à la recherche, à l'achat de substances psychotropes et au développement de techniques de consommation. La famille d'accueil avait sa friture, on avait de l'initiative.

Quand on ne se volait pas, il y avait une bonne entente entre les mousquetaires du sous-sol. Même avec Benjamin, notre souffre-douleur. C'est sain, les souffre-douleur, pour la dynamique de groupe. Il était la soupape de la clique. J'y ai vécu une certaine forme d'équilibre durant un temps.

On logeait à deux par chambre. Je partageais mon intimité avec Steve, un Haïtien de deux ans mon aîné. Une immense bite, vraiment, un pénis énorme. Je ne dis pas ça pour être raciste, les Noirs sont très organiques. C'est héréditaire.

Steve et moi, on brûlait de la même passion pour le hip-hop et on a écrit plusieurs textes de rap ensemble. La chimie y était, le talent et l'attitude aussi. Il nous manquait seulement un musicien pour composer des beats et un gérant pour lancer le produit. On avait déjà le nom : Les Fils de la rue. C'était fort. Notre concept était élaboré ; toujours habillés en blanc et en noir, et juste des clips en noir et blanc. Lui en blanc, moi en noir. Un véritable mélange des genres. On serait devenus des vedettes reconnues jusqu'en France, mais après quelques mois les services sociaux ont ramené Steve en garde fermée.

Avec Steve, on était les moutons noirs de cette famille d'accueil. On nous tombait dessus à tout bout de champ. Particulièrement quand on tabassait Benjamin, le malade mental. Ils nous répétaient que c'était inacceptable, mais personne ne voulait comprendre qu'on le battait parce qu'il était un trou de cul, pas parce qu'il était malade mental. Un n'empêche pas l'autre. On s'en foutait qu'il soit bipolaire, le problème c'est qu'il était envahissant, nous dénonçait et nous volait. On peut être malade mental et trou de cul. Il y a même des Noirs homosexuels, handicapés, malades mentaux et trous de cul. C'est dire comme on peut se rendre loin dans la minorité.

Déjà, on nous avait dans le collimateur depuis la dernière volée de Benjamin. Steve est retourné en centre peu de temps après. Il avait légèrement menacé la responsable de la famille d'accueil en brandissant un couteau à beurre. Un couteau à beurre, franchement, il n'y avait pas de danger. La mère a paniqué et s'est jetée par la fenêtre du premier étage, se déchirant un ménisque. À la décharge de Steve, il faut préciser qu'il a appelé les secours. Je ne l'ai jamais revu, c'est dommage. Au moins, j'avais la chambre juste pour moi et pouvais me masturber dès que l'envie me prenait. C'était un mal pour un bien.

D'ailleurs, l'amplitude de mes pantalons recelait plusieurs avantages. En plus de pouvoir transporter des cadavres de chats et voler des objets d'un volume considérable, j'ai découvert qu'il était possible de me caresser sans trop attirer l'attention. J'avais pris soin de percer le fond de mes poches, ayant développé une technique ambidextre. Le succès de l'affaire résidait dans la motricité fine et la dextérité. Concrètement, il fallait seulement pincer le gland à répétition, sans va-et-vient pour éviter de soulever le doute. L'opération était particulièrement agréable lors de mes rencontres avec la psychologue scolaire.

Claudia, dans un excès de professionnalisme, allumait tous les gars, les indécis et les lesbiennes bourgeonnantes de la polyvalente. Elle possédait une panoplie de tailleurs tous plus ajustés les uns que les autres. Très classe et haut de gamme. J'avais une préférence pour l'ensemble beige. Il soulignait bien la courbe des seins et la jupe révélait suffisamment les cuisses pour alimenter l'imagination du pubère en éruption que j'étais.

Selon mon plan d'intervention personnalisé, je devais la rencontrer toutes les deux semaines. J'ai découvert que je pouvais accroître la fréquence de nos rencontres en inventant des préoccupations existentielles ou en lui dévoilant des détails croustillants de mon existence. Comme l'histoire de Mimine la chatte, par exemple. J'étais excité par l'intensité dramatique qu'elle prenait lorsque je comblais sa curiosité malsaine de moult détails. Elle se sentait importante et imaginait peut-être qu'elle m'était d'une quelconque aide.

Je n'éjaculais jamais dans son bureau. Je contrôlais mal mes spasmes faciaux, à l'époque. L'orgasme me tordait un peu le visage. Je m'entraînais devant un miroir mais n'arrivais jamais à demeurer complètement stoïque. C'est une question de philosophie. Pour rien au monde je n'aurais voulu interrompre nos rencontres ou me voir dans l'obligation de garder les mains sur les genoux. Je passais donc par les toilettes avant de me rendre, le corps et le cœur légers, aux cours d'arts plastiques.

Claudia a habité mes fantasmes pendant de nombreuses années, sept, plus précisément. Elle a meublé l'imaginaire de mes caresses solitaires jusqu'au jour où je l'ai croisée sous les cruels néons d'un supermarché. Le temps lui avait violé le visage. Ses seins migrateurs voulaient partir pour le Sud. Même pas le même sud, en plus. Un semblait tendre sa blouse vers le sud-est. Elle souffrait de strabisme mammaire. C'est commun chez les femmes n'ayant pas les moyens de se payer des implants. J'ai feint de ne pas la reconnaître. Elle en a fait autant. J'ai quitté l'épicerie sans même acheter mes Cap'n Crunch, abandonnant mon fantasme brisé dans l'allée des céréales.

Après deux ans dans la famille adipeuse, un record, j'ai dû déménager à nouveau. Mon sens de l'initiative et mon intérêt pour la science n'ont pas plu. Avec les autres jeunes protégés de l'endroit, on avait pris l'habitude de tester nos substances psychoactives préférées sur Rocket, le beagle familial. Ce n'était rien de bien méchant ni conséquent. Nous n'avions pas les moyens de lui offrir les quantités qu'on s'envoyait nous-mêmes, mais on se cotisait souvent pour qu'il ait sa part. Un samedi soir de PCP, on a cotisé un peu fort. Rocket a plané trop haut.

Avant d'en consommer nous-mêmes, on avait tous mis de notre précieuse poudre dans son eau. On s'est vite rendu compte que, pour une fois, il n'y avait pas eu d'abus sur la coupe. La soirée se déroulait bien et on partageait un bon moment de délire. Surtout Benjamin, fasciné par Rocket qui se mâchait les pattes avec passion. Malheureusement pour moi, la famille est revenue de sa soirée cinéma plus tôt que prévu. On était encore dans le salon du rez-de-chaussée, entourant et taquinant le chien. À la vue de ses maîtres, il a tenté de se lever pour les rejoindre, mais il a dû se résoudre à ramper sur le côté, traînant le tapis du salon sous son flanc. Rocket semblait avoir un différend avec le concept de gravité, ce soir-là.

Papa gras-double a jugé que la situation était gravissime, a diagnostiqué avec justesse que nous étions sérieusement défoncés et a convoqué un intervenant d'urgence. Bon prince, j'ai pris la charge. Étant l'aîné et le plus expérimenté en déménagements précipités, j'ai assuré au psychoéducateur appelé à la rescousse qu'ayant organisé la petite fête, je comprenais qu'il me fallait reprendre la route. En sortant, j'ai lancé un ultime regard à Rocket, qui louchait dans ma direction.

À seize ans, j'avais déjà brûlé toutes les familles d'accueil de la région et on voulait me sortir des centres au plus vite. Je nuisais au cheminement des autres jeunes en unité fermée. Si ces petits connards n'avaient pas nui à ma propre sérénité, mes poings n'auraient pas nui à la symétrie de leurs visages. Tout est toujours une question de point de vue. Ou de poings sur la gueule. On a beau nous rebattre les oreilles avec les concepts de respect et d'écoute, il y a bien peu d'arguments aussi efficaces qu'un quatuor de jointures pour faire passer un message. Le problème, c'est que c'était une opinion partagée par plusieurs autres jeunes de mon unité. On se distribuait de l'argumentaire pour tout et pour rien. C'était tendu. Je crois qu'on s'aimait bien, même si on se blessait souvent. Les coups de poing, c'est quand même des contacts humains.

J'ai entendu dire qu'on punissait les éducateurs en les assignant à notre unité. Ça nuisait à l'ambiance, on nous envoyait les pires intervenants, qui se pointaient avec plein de préjugés envers nous. Il ne faut pas juger un homme avant d'avoir boité dans ses prothèses.

J'ai souvenir d'une intervenante en particulier, Aïcha. Elle m'a humilié devant tout le monde, un soir durant le ménage. C'était sa façon de me châtier. Elle me soupçonnait, avec raison, d'avoir caché ses clés de voiture durant quelques heures, un lundi matin où je me sentais taquin. Ce n'était pas une raison. Elle a laissé entendre aux autres gars de l'unité qu'elle m'avait surpris alors que je pleurais. Je ne pleure pas. Bien que je sois particulièrement vif d'esprit, je n'ai pas su répondre sur le coup.

J'ai eu l'occasion de me venger plus tard.

3
L'indépendance

Quand j'ai eu dix-sept ans, on a jugé qu'avec une certaine supervision je pourrais vivre en appartement, à proximité des bureaux administratifs du centre jeunesse. On m'a intégré à un programme spécial où l'on me préparerait à la vie en toute autonomie. J'y ai appris à oublier comment faire un budget, puis on a ouvert un compte d'épargne où je n'ai rien économisé. On m'a aussi appris à cuisiner en groupe. Bien sûr, il m'arrivait d'apporter mes propres épices. J'étais presque majeur lorsqu'on m'a accompagné pour trouver un appartement, en périphérie du centre-ville.

Après quatre visites, j'étais écœuré et prêt à signer le premier bail qu'on me présenterait. Malheureusement, l'éducatrice qui m'accompagnait était trop motivée. Une belle grande cocotte grimée, en bottes de cuirette. Le genre qui nous habitait l'esprit à l'extinction des feux.

Elle analysait l'espace des pièces, m'expliquait comment faire entrer la lumière et tout un tas de trucs inutiles. Je n'ose pas imaginer le nombre d'heures qu'elle pouvait perdre à écouter des émissions de décoration. Pauvre fille, si elle avait su l'entretien que j'allais consacrer à mon logis, elle m'aurait laissé signer pour le débarras d'un buffet cambodgien. Finalement, on s'est entendus pour un deux et demi près du centre et d'une épicerie. Le 137, rue des Érables, appartement 4. J'y ai connu de beaux moments de bonheur. C'est dans ce petit taudis que j'ai eu ma première chatte à moi, Princesse.

J'ai fêté ma majorité en consacrant la moitié de mon premier chèque d'aide sociale à un tatouage. Contrairement au bétail, marquer son corps est un signe de liberté pour l'humain. J'en avais observé durant des heures sur Internet. Il me fallait quelque chose d'original, quelque chose d'unique qui me représentait bien. Je me suis fait tatouer un gros signe chinois sur la nuque. *Force*. C'est ce que le tatouage signifiait. C'était impressionnant.

Je me ferai tatouer tout un bras et une partie du dos quand je serai en dedans. Je me ferai aussi faire l'étoile des prisonniers sur la main, entre le pouce et l'index.

Je consommais beaucoup de marijuana et de jeux vidéo à cette période de ma vie. Voilà une combinaison très efficace pour combattre l'ennui, mais ça nuit un peu à la productivité. J'étais plutôt enclin à la rébellion sous toutes ses formes et me targuais d'emmerder la société. Je n'étais pas encore conscient que la société m'emmerdait tout autant.

Je souffrais peu d'être un membre inactif du système et j'arrivais à convaincre ma superviseure que mes démarches de recherche d'emploi s'avéraient vaines. Je sabotais les entrevues. Je savais que je valais mieux que ce qu'ils avaient à m'offrir. J'étais trop jeune pour qu'on me confie un poste de gestion, alors je devais toujours postuler comme commis. *Travaille à un poste de perdant, tu resteras un perdant*, c'est une de mes philosophies. Je n'avais qu'à attendre l'opportunité d'œuvrer directement comme gérant ou propriétaire. Je m'en sentais déjà le potentiel.

Je pouvais fumer de deux à trois grammes d'herbe sans manquer de consacrer huit à neuf heures à ma console de jeux en une journée. La plupart des gens, obtus et ignares, ne voient pas les applications concrètes et les compétences que l'on développe en investissant des jours à pitonner sur une manette. Pour moi, pourtant, ç'a été salutaire. J'ai appris une bonne base d'anglais, j'ai affûté mon sens de la stratégie et, lorsque je n'arrivais pas à mettre la main sur Princesse, ça m'aidait à gérer mon stress.

J'ai surtout amélioré mes habiletés de tireur grâce à certains jeux de guerre, mes préférés. Il faut dire que je m'exerçais aussi avec une carabine à plomb que j'avais échangée, contre rien, à un jeune du quartier. Je m'entraînais à tirer de ma fenêtre les oiseaux et les écureuils perchés sur les fils électriques. J'en tuais rarement mais les touchais à l'occasion. Ils arrivaient à fuir ou tombaient du fil électrique, sur le trottoir. J'aurais pu être un excellent tireur d'élite pour les forces armées. Je l'ai envisagé. J'ai la force de caractère et l'esprit guerrier nécessaires aux missions d'envergure.

Je ne crois pas que j'étais dépendant, mais je fumais mon premier joint le matin, avant le déjeuner, pour m'ouvrir l'appétit. Les journées me paraissaient moins longues. Je me louais des jeux ou j'allais investir dans les machines à sous, à la chic taverne Chez Manon, commodément située au coin de la rue.

Je ne saurais dire si j'ai gagné plus que j'ai perdu dans mes premières années de pratique, mais ce qui est clair, c'est que j'arrivais à lire la machine, à décoder l'algorithme ouvrant la voie à des sommes substantielles. Sauf que la plupart des appareils étaient truqués ou répondaient mal à mon stratagème. L'aide sociale que je recevais était rapidement retournée à l'État ou distribuée aux revendeurs du coin. J'arrivais au bout du mois grâce à des vols de vélos et à des petites arnaques géniales.

La vie d'adulte me plaisait. Je prenais mes responsabilités, j'étais libéré du joug de la Protection de la jeunesse. Il ne me restait qu'à retrouver ma mère et la vie serait bonne.

La vie est conne. Les organismes d'aide aux retrouvailles ne pouvaient rien faire pour moi. Je n'avais pas été adopté. *Évidemment que je n'ai pas été adopté, j'ai une mère ! Elle ne m'a pas abandonné, on m'a arraché de ses bras !* Impossible de m'accompagner dans mes démarches, il fallait obligatoirement passer par les services sociaux.

Et les services sociaux qui me disaient avoir perdu sa trace. Quand c'était le temps de nous ruiner la vie et de briser notre famille, ils n'avaient pas de difficultés à nous retrouver, les enfants de chienne ! Je m'emportais souvent, au téléphone. Dans leurs bureaux aussi. La sécurité devait intervenir.

Une fois, un responsable a osé me dire qu'il avait consulté le dossier en long et en large et qu'il en était venu au constat qu'il serait préférable pour moi d'abandonner mes recherches et de me trouver une autre figure parentale. Je lui ai lancé son agrafeuse à la figure, pas parentale du tout. Du haut de ses grands airs condescendants, il a refusé de porter plainte, mais il m'a interdit l'accès à l'immeuble. Enfin, j'avais l'heure juste. Je ne pourrais pas compter sur le système pour renouer avec maman. On n'est jamais si bien servi que par soi-même !

Je consommais de plus en plus, donc je volais au même rythme. C'était ma façon de me venger, pour l'instant. En attendant d'avoir les armes nécessaires. Je ne voulais pas servir les services sociaux en devenant la bonne petite statistique qu'ils désiraient. En m'amochant, je les maganais aussi.

À l'occasion, je concrétisais aussi mon besoin de les atteindre en vandalisant leurs immeubles. Sur un plan plus personnel, je souillais d'excréments la voiture d'Aïcha, tous les deux mois. Plus ou moins. Pauvre Aïcha, elle n'avait pas su à qui elle avait affaire. Jésus pardonne. Moi, je me venge. C'était une mauvaise idée de m'installer à proximité du centre.

On m'a suspecté. Deux enquêteurs sont venus à l'appartement. J'avais lu Mario Puzo et regardé les enquêtes de Canal D. Je connaissais leurs techniques et savais bien qu'ils n'avaient rien contre moi. Ils n'allaient pas prélever de l'ADN à même la merde non plus !

Pendant l'interrogatoire, un des policiers m'a dévisagé durant deux longues minutes. C'était gênant. Pour lui surtout, il avait l'air d'un imbécile. Moi, je stressais, comme d'habitude quand il y a des poulets, mais j'étais soulagé de m'en tirer. À la fin de sa séance d'intimidation, il a sifflé entre ses dents serrées : *Pour faire ça, il faut être un vrai salaud.*

On est salaud dans la mesure où la vie est une salope. *Vous avez raison, monsieur l'agent.*

J'ai laissé Aïcha tranquille. Sa voiture n'avait plus rien à craindre. Et Princesse ne se demanderait plus pourquoi ses crottes se volatilisaient de sa litière.

4
La maturité

Je suis un homme chanceux. Quoique je croie que l'on fait sa chance, je ressens la présence d'une puissance supérieure. Elle veille sur moi et me fait de petits clins d'œil à l'occasion. Comme le soir de mon vingt et unième anniversaire. N'ayant réussi à joindre personne qui veuille sortir, j'ai décidé de fêter en solo, mais en grand.

Marie-Josée remplaçait Manon à son bar. J'ai bu quelques shots de fort en sa compagnie et elle m'a laissé faire jouer un de mes albums préférés. Elle m'a prévenu que si quelqu'un arrivait, il faudrait l'arrêter. La clientèle habituelle de la taverne n'était pas fervente de gangsta-rap. Mais le bar avait l'habitude de ne pas avoir de clientèle, alors on a écouté l'album au complet.

Un alignement des astres, de la musique et de mes stratégies de joueur professionnel m'a permis d'extirper deux cent quatre-vingts dollars de la machine étatique. Les cloches ont sonné et payé, enfin. J'avais investi près de deux cents dollars au préalable, mais il me revenait tout de même un joli profit. Assez pour allumer Marie-Josée, qui a sorti beaucoup de gin et quelques gouttes de tonic. La richesse émoustille les femmes depuis la nuit des temps. C'est documenté.

On a commencé à s'approfondir la fourche dans le taxi, en allant chercher des amphétamines et de la cocaïne pour épicer la nuit. Marie-Josée fixait le rétroviseur du taxi en me frottant la braguette. Le chauffeur devait être bien jaloux. Ça m'excitait un peu trop et j'ai éjaculé dans mon pantalon.

Arrivés chez elle, on a repris nos ébats sous la douche. À la lumière vive, elle était moins belle. Elle était maigre et parvenait à se tenir agrippée à moi sans toucher le sol. C'était acrobatique. J'ai fait un gain d'au moins trois minutes sur la performance du taxi. On s'est douchés puis on s'est installés dans la cuisine pour fumer à la chaîne.

Je voulais gagner du temps pour récupérer. Je me suis mis à lui raconter ma vie, mes déménagements et mes ambitions de rappeur. Je lui ai expliqué que je voulais retrouver ma mère en cours de route, quand je serais bien installé. Elle était touchée. Moi aussi. Elle a pleuré entre deux bouffées de freebase. Elle s'identifiait, qu'elle m'a dit. Elle avait trois enfants, placés en centre d'accueil à ce moment-là. Mais elle suivait un programme volontaire et demeurait convaincue de les récupérer rapidement. Tout est une question de confiance. Toujours.

Elle a tenté de me prendre dans sa bouche, mais j'étais trop gelé pour apprécier, alors on est restés au stade des confidences jusqu'au petit matin. Quand les autres locataires ont commencé à s'agiter, dans l'immeuble, on a essayé de dormir. En vain. Rien n'est plus efficace que les premiers oiseaux et les travailleurs pour culpabiliser les bêtes de nuit. C'est un *reality check* dans la bande.

Sans hésitation, Marie-Josée a plongé dans l'anxiété comme une athlète olympique. Elle tremblait de peur d'être congédiée pour avoir fermé le bar trop tôt. Elle craignait de voir débarquer un intervenant. Elle s'était juré qu'elle ne fumerait plus de cette cochonnerie-là. Je l'ai coupée et j'ai pris le relais, par compassion. Je parlais sans arrêt pour lui changer les idées, en chuchotant pour que personne d'autre ne m'entende dans l'immeuble. On s'écoutait à peine. Entre deux mots couverts, on discernait les grincements de nos dents. Les siennes étaient jaunes. Vers dix heures, je pensais qu'elle allait enfin s'endormir, mais elle s'est retournée d'un coup sec. *Elle s'appelait comment, ta mère ?*

Pourquoi ?

Pour rien, dis-moi juste elle s'appelait comment.

Elle s'appelle Marie-Madeleine Fontaine, ma mère.

Je n'avais même plus assez d'argent pour prendre le bus. J'ai marché la moitié de la ville en fredonnant un nouveau refrain.

J'ai rien à perdre !

Je peux te laisser dans ton sang
Ou dans ta merde
Rien rien rien à perdre !

Il fallait que je trouve un musicien et une maison de disques au plus vite, je perdais de grosses sommes. Depuis mes débuts avec Steve, je n'ai jamais arrêté. J'improvisais sans arrêt. J'avais des idées, des rimes et des concepts prêts à renverser l'industrie. J'envisageais même de faire carrière aux États-Unis. C'est là que ça se passe.

Il ne me restait que six cigarettes pour la journée. Je devrais les étirer. Je toussais déjà plus creux qu'une mine de charbon, alors cette disette ne serait que bénéfique pour ma santé. Je me disais que j'avais connu pire. Je me remémorais aussi des pensées bouddhistes glanées dans les magazines. *La vie est souffrance. Rien ne dure. Tout est éphémère.* Il a développé tout le concept de la relativité, Bouddha.

Douze heures plus tôt, j'avais la nuit devant moi et près de trois cents dollars dans les poches. Je n'avais plus rien de ça, mais j'avais une nouvelle baise au compteur et une preuve que mes stratégies au jeu finissaient par payer. C'était loin d'être assez pour convaincre M. Paul, le propriétaire du logement crasseux où j'habitais. Il avait l'habitude de me menacer d'appeler la Régie du logement chaque fois qu'on se croisait, mais là, il m'attendait. *De pied ferme.* Il pouvait se la coller au cul, la fermeté de son pied.

Planté devant la porte de mon appartement, prêt à prendre racine s'il le fallait, il a juré de ne pas bouger de là avant d'avoir encaissé un paiement. J'entendais les feulements de Princesse derrière la porte. Ma chatte n'avait pas mangé depuis deux jours. Et j'avais encore oublié de lui voler des saucisses. Je considérais que les soins à ma chatte s'avéraient un argument suffisant pour me laisser entrer chez moi. Je me suis obstiné, puis, sage, me rappelant que le roseau ne plie devant personne :

OK, champion, je vais aller t'en chercher, de l'argent. Sourire mesquin du gros bourgeois comme seule réponse. *Reste planté là, je reviens.*

Je bouge pas tant que j'ai pas au moins un mois de loyer dans les mains.

C'est ça le concept, bouge surtout pas !

Je suis ressorti par l'entrée principale puis j'ai longé l'immeuble. En m'agrippant au balcon, j'ai pu me hisser jusqu'à mon appartement au premier étage. J'avais déjà forcé la porte-fenêtre, un soir d'oubli de clé. M. Paul n'avait pas cru urgent de la réparer.

Dès que j'ai posé le pied dans l'appartement, Princesse s'est mise à miauler à la mort. *Chhut chhhut.* Je lui ai lancé un morceau de nourriture pour de faux. Elle le cherchait avec appétit. Ça l'a calmée. Je me suis élancé vers la chambre, j'ai pris le sac de sport qui ne me servait jamais et j'y ai fourré tout ce qu'il me restait de valeur dans le deux pièces et demie. Ma console et ses jeux, un fond de tequila, des albums, des vêtements propres et sales, des revues de cul et mes papiers à rouler.

Mon beau bourgeois a dû m'entendre. Le bruit de ses clés m'a alerté juste à temps. J'ai poussé le divan contre la porte et me suis assis dessus en éclatant de rire.

C'est qui le cave, là, monsieur Paul ? Si tu me laisses une semaine de plus pour payer le loyer, je te laisse rentrer, OK ?

Il a fait tout un vacarme en dévalant les escaliers. Je pouvais à peine percevoir ses menaces qui se dandinaient à sa suite. *Je vais appeler la police ! T'es dehors ! Dehors ! Pus jamais…* L'offre était refusée.

Les centres jeunesse auraient de la difficulté à caser un autre jeune dans cet immeuble-là. Je ressentais une certaine fierté à l'idée qu'il les contacterait pour me retracer ou pour se faire rembourser par eux. Même s'ils n'avaient plus d'obligation légale vis-à-vis de moi, j'arrivais à leur causer encore un peu de trouble. *Je vous emmerde, j'emmerde les propriétaires et j'emmerde les loyers. Liberté !*

J'emmerde aussi les policiers, mais moins je les croise, mieux je me porte. Il me fallait donc décamper. M. Paul était un homme sérieux. Il allait tenir ses menaces.

Alors que je m'apprêtais à franchir la rambarde du balcon, Princesse est venue faire des huit autour de mes jambes en miaulant de plus belle. J'ai éprouvé un pincement au cœur. Je ne pouvais pas la laisser là. Je ne pouvais pas l'emmener non plus. Il me fallait prendre une décision déchirante mais nécessaire. Je comprenais les parents qui tuent leurs enfants par amour, pour les protéger.

J'ai fait d'une pierre deux coups. Princesse ne serait pas abandonnée et M. Paul saurait de quel bois je me chauffe. J'ai planté un couteau à steak dans la nuque de Princesse pour la décapiter. Les chats se décapitent moins bien qu'il n'y paraît. Elle s'est débattue. Un geyser de sang a giclé et taché mon pantalon. Furieux, je lui ai replanté le couteau dans le dos à trois reprises, puis l'ai balancée contre la porte d'entrée, éclaboussant le vieux tapis gris au passage. Encore aujourd'hui, je ne peux m'empêcher de rire en imaginant la tête de M. Paul.

Marie-Josée refusait de m'héberger. Les intervenants du centre jeunesse pouvaient débarquer n'importe quand. S'ils débusquaient un homme dans sa vie ou dans son appartement sans avoir été prévenus, ça compromettrait le retour de ses enfants. J'ai négocié serré pour y passer l'après-midi, au moins. Le temps de m'organiser et de me trouver un point de chute.

On a baisé, mais je ne la sentais pas à son affaire. C'était mécanique, désincarné. Elle se donnait plus et mieux avec une dose massive de stimulants dans le sang, mais on était fauchés comme les prés. Il faut dire qu'à la lumière du jour, avec une nuit blanche dans le corps, elle perdait beaucoup du peu de charme qu'elle avait.

On a fumé mes dernières cigarettes en me cherchant un hébergement. Je ne voulais rien savoir des ressources communautaires. Le proprio avait sûrement mis la police sur mon cas. C'était le premier endroit où ils vérifieraient.

Paranoïaque, Marie-Josée m'a demandé pourquoi la police voudrait me voir. Elle a changé de faciès, troublée, quand je lui ai décrit ce que j'avais fait de Princesse. J'ai senti son jugement. Je déteste ça. J'ai éclaté de rire en l'assurant que c'était une blague, mais le sang sur mon pantalon me trahissait. Je lui ai raconté une histoire de viande que j'avais voulu sortir du réfrigérateur. Je ne m'en suis pas trop mal tiré, je crois.

L'incohérence crasse du petit monde m'exaspère. *Oh non, il a tué un chat !* So what, calvaire ! On se bourre la face d'animaux morts à longueur d'année. Des centaines. Des milliers. Des dizaines de milliers dans une vie. Évidemment qu'il y en a un paquet qui sont torturés en cours de route, élevés dans des conditions dégueulasses, séparés de leurs mères et gavés de force avant d'être assassinés pour nourrir des limaces humaines. Et je devrais culpabiliser d'avoir tué mon propre chat, que j'ai élevé et tant aimé ? J'ai allumé ma dernière cigarette en insistant pour passer la soirée et la nuit à venir chez Marie-Josée. Le ton a changé.

Elle s'est levée d'un bond en éructant qu'elle avait une idée. Elle a saisi le téléphone et a dû s'y reprendre à trois fois avant de composer le bon numéro tant elle tremblait. La peur ou le manque, peut-être les deux. Elle marmonnait en roulant entre ses doigts une de ses mèches blondes, fendue d'une bonne repousse brune. Elle affichait une mine soulagée en raccrochant.

Ma tante Nicole va venir te chercher. Elle a une maison à Saint-Agapit avec des chambres à louer. Elle est d'accord pour t'avancer deux semaines jusqu'à temps que le chèque rentre. Est cool, Nicole, tu vas voir, est ben cool.

J'ai eu l'impression qu'elle se débarrassait de moi. Elle m'a même demandé de ne plus me pointer chez elle sans prévenir. De toute façon, il me fallait une adresse pour recevoir le chèque d'aide sociale. Celle de tante Nicole ferait l'affaire. Marie-Josée me laissait déçu devant la petitesse de son chagrin. On a fait l'amour quand même, en attendant.

Elle a expédié les présentations et m'a laissé partir sans m'embrasser, rien. Je lui avais raconté toute ma vie. Je croyais que c'était plus sérieux, notre histoire. Mais ça ne me dérangeait pas. Elle était trop maigre et un peu conne, finalement.

5

La capacité d'adaptation

La chambre était petite et humide. Dans tout le sous-sol, il régnait une odeur de vieilles planches mouillées. Pas intolérable, mais ça indiquait quand même un milieu propice à la moisissure. Contrairement aux planches, je ne pourrirais pas longtemps ici. Surtout que j'avais omis de racheter des pompes pour mon asthme. Je crachais déjà mes poumons, avec un peu de sang, au réveil. C'était moins pire quand je me réveillais passé midi. *Le monde appartient à ceux qui se lèvent*, a dit Shakespeare, un auteur européen.

Quitter la capitale pour un village aussi minuscule, ça déstabilise. J'ai constaté la rareté des attractions et des points de vente dans le coin. C'était un problème. J'ai emprunté assez d'argent à tante Nicole pour vider le stock d'amphétamines du revendeur du coin, mais je m'ennuyais grave. Il me fallait vite trouver un ordinateur pour alimenter mes passions, soit la pornographie et la lecture. Ça me servirait aussi à reprendre contact avec le monde et, éventuellement, avec une belle grosse vache à lait.

Je rôdais d'un champ à l'autre en surveillant les maisons. Je gardais une distance respectable des résidences. L'ombre est mon alliée. Après une heure de repérage, je suis tombé sur la demeure idéale. Toutes lumières éteintes, aucun véhicule dans l'entrée, sans chien dans la cour. Je me suis approché et me suis enthousiasmé davantage. Un beau bungalow de classe moyenne inférieure, sans système d'alarme. Il est toujours plus facile de voler les pauvres, le gouvernement vous le confirmera. J'y trouverais sûrement un ordinateur portable et quelques bouteilles d'alcool. Tournevis, cadrage de plastique, pression, fenêtre ouverte, introduction et bingo ! Même pas besoin de ma lampe de poche. La pleine lune suffisait à éclairer les lieux. C'était un signe.

Un bon pilleur sait repérer les trésors en cinq minutes, top chrono. J'avais fait le tour en quatre. Trois Coors light dans le réfrigérateur. Quel imbécile essaie de se saouler avec de l'alcool à 4 % ? Il va se noyer avant. Une vieille console PlayStation dans le salon. Peu de valeur, mais ça se revend bien. Une poignée de bijoux dans la chambre principale et un panier de linge sale.

J'ai extirpé quatre G-strings du panier et me les suis plaqués au visage. De grosses journées de travail pour la petite dame. L'odeur était forte et persistante. J'ai fourré ce butin au fond de ma poche et j'ai poursuivi l'expédition.

J'ai perçu un mouvement au sous-sol lorsque je me suis engagé dans l'escalier. La lampe de poche, industrielle, pourrait servir. Je l'ai sortie du sac, j'ai empoigné le long tube d'acier et j'ai dévalé les dernières marches. S'il y avait un importun à la cave, il me fallait l'assommer avant qu'il appelle les secours.

C'était un chat, évidemment. Je ne l'ai pas débusqué, mais il y avait deux litières en marge de la sécheuse. Salaud de chat. J'ai pissé par-dessus ses déjections, juste pour l'irriter. J'ai aussi pissé dans la laveuse ouverte. Il y avait une grosse brassée de blanc en attente. J'ai ri. Je suis bon public.

Je n'ai pas trouvé l'ordinateur portable tant désiré, mais j'ai pu me rabattre sur une vieille tour de Pentium et un écran plat. Ça se transportait mal, mais en repassant par les champs, je n'attirerais pas trop l'attention.

J'ai découvert l'amour sur un site de rencontres. J'ai rencontré, virtuellement, un nombre incroyable de pétasses irrespectueuses qui, sans raison, cessaient de m'écrire. Je suis un homme persévérant. Je les relançais avec la détermination d'un obèse dans un buffet. C'est presque un emploi à plein temps, trouver l'amour. Je passais mes journées sur ces sites à la recherche de la perle rare. Ou semi-précieuse. Il ne faut pas se raconter d'histoires, il y a un paquet de boudins et de désespérées qui s'exposent là-dessus. Il m'avait fallu des dizaines d'heures et presque autant de changements d'identité, mais j'y étais parvenu, enfin.

Je me sentais trop isolé dans ma petite chambre au fond de la petite maison du petit village. Je vois grand, moi.

Après un mois de cohabitation, tante Nicole s'avérait beaucoup moins cool qu'annoncé. Je devais toujours me ramasser et laver ma vaisselle. Au moins, elle me laissait gérer le ménage de ma chambre, que je ne faisais pas. Je lui étirais un peu le loyer aussi, me disant que je partirais de nuit un de ces soirs. L'amour arrivait à point.

Quand j'ai rencontré Audrey, mon profil indiquait que j'étais ingénieur ; je préciserais plus tard que j'étais ingénieur en recherche d'emploi. En fait, j'avais l'intention d'étudier en ingénierie à ce moment-là et de me chercher un emploi dans le domaine ensuite. Ce n'était pas vraiment malhonnête.

Audrey était infirmière, mais surtout, elle jouissait d'énormes seins. La poitrine des femmes en révèle beaucoup sur leur personnalité. Pour étayer ma théorie, j'ai recensé plusieurs informations sur des forums de discussion. Audrey confirmait que les femmes ayant une forte poitrine ont tendance à être généreuses et timides. Pour moi, ce sont deux qualités très importantes. Avoir d'énormes seins en est une troisième et une quatrième. Accessoirement, Audrey était frisée, rousse mais sans taches.

Dès le premier rendez-vous, j'ai su que débutait une liaison passionnante. Elle désirait une relation sérieuse, consacrait une bonne part de son temps au sport et aimait les animaux, tout comme moi. Elle travaillait aux urgences d'un centre hospitalier, de nuit.

C'était parfait, car je me levais toujours autour de midi, alors je pouvais la rejoindre en fin de journée pour passer mes soirées chez elle. C'est Audrey qui venait me chercher au village et me ramenait dans la capitale. Je lui donnais rendez-vous devant la plus belle maison de Saint-Agapit.

Audrey cuisinait plutôt mal, mais elle avait un magnifique appartement en hauteur, avec une vue plongeante sur la ville. Je ne saurais dire pourquoi, mais je me sentais plus riche et plus puissant rien qu'en me postant près de la fenêtre. Je dominais la capitale. Avec de bons rocket launchers et des Cobalt machine guns, j'aurais pu faire des ravages. Audrey ne s'y connaissait ni en armes ni en jeux vidéo. Je ne pouvais lui en vouloir. Ce sont des compétences que les femmes développent peu.

Ses chats étaient moins bien élevés que Princesse, ils grimpaient continuellement sur les comptoirs. Je les chassais du revers de la main dès qu'Audrey avait le dos tourné. Quand elle s'attardait dans une autre pièce, je les frappais franchement.

Audrey aimait aussi que je la frappe, que je la prenne par en arrière, que je la morde et l'insulte, dans les limites de la politesse consentante. Elle était très sexuelle pour une infirmière. Elle évacuait toute la pression des hémorragies, des réanimations et autres crises hospitalières en s'offrant ainsi, la tête enfouie dans l'oreiller. Vraiment, c'était une femme merveilleuse.

Je suis un homme intense. Je réfléchis beaucoup. Mon mode de vie me force à être débrouillard, créatif et pragmatique. Toutes les occasions de gagner du temps sont bienvenues. Même dans le sexe. C'est parfait pour moi, les femmes qui pratiquent la baise sportive, qui se donnent avec violence. Rien n'est plus interminable que les séances de massage à la chandelle. J'aime les femmes qui savent ce qu'elles veulent, surtout si c'est la même chose que moi.

Je me sentais prêt à emménager chez elle après quelques rencontres, mais je la trouvais plus distante au fur et à mesure que la relation mûrissait. Le diable est dans les détails. Un regard ou une absence, une remarque sur mon hygiène, un petit mot qu'elle laissait traîner. Elle n'avait même plus le temps de lire mes poèmes. Je suis pourtant un grand poète. Elle ne me présentait toujours pas à ses parents, ni à ses amis d'ailleurs. Elle ne m'écoutait plus aussi religieusement quand je lui racontais mes démarches pour retrouver ma mère.

Après deux fins de semaine où elle ne pouvait *absolument* pas se libérer, le doute s'est installé définitivement. En toute logique, j'ai commencé à l'espionner. J'avais le temps d'analyser tous les scénarios d'infidélité possibles. De Saint-Agapit à Québec sur le pouce, quand tu es grand comme moi, ce n'est pas gagné d'avance, ça peut être long. Les enculés de bons Samaritains ont mieux à faire qu'aider un homme à tirer sa vie amoureuse au clair.

Sa voiture n'y était pas, souvent. On me disait qu'elle était indisponible quand je téléphonais à l'hôpital, peu importe l'heure à laquelle j'appelais. Je m'y suis rendu en feignant une entorse. Dès qu'Audrey m'a vu, elle a fait une crisette. Elle ne voulait plus me voir. Je n'avais rien à faire là. Elle me rappellerait quand elle voudrait reprendre contact. C'était du grand n'importe quoi. J'avais le droit d'être blessé comme tout le monde, non ?

On se fréquentait depuis trois semaines. Ce n'était pas rien. J'étais en droit de savoir de quoi il retournait. Grâce aux informations personnelles qu'elle avait partagées avec moi, j'ai pu répondre aux questions de sécurité de sa boîte de courriels et en changer le mot de passe au passage.

Je ne savais pas à quoi m'attendre. Au pire, j'imagine. C'était pire que pire. L'amphétamine que j'avais gobée avant de me lancer dans cette entreprise archéologique était d'une qualité étonnante. J'ai compulsé toute la nuit. J'ai dû lire près de deux mille messages archivés. Pour un autodidacte, je suis plutôt fort en psychanalyse. J'ai dressé son profil psychologique avec moult détails. Je la connaissais mieux qu'elle devait se connaître elle-même.

J'ai découvert les courriels que son ex et elle s'étaient écrits durant les deux années où ils avaient uni leurs destinées. Il y avait du chaton par-ci et du minou par-là. Des mots d'amour longs comme le bras et des promesses dignes du plus dégoulinant roman à l'eau de rose. Des pages et des pages de déclarations d'amour. Des pages et des pages qu'elle ne m'avait jamais écrites.

J'étais trahi, profondément. Je suis sensible, au fond. Elle l'aimait ou l'avait aimé plus que moi, Gregory, c'était évident et c'était inacceptable. Elle m'avait trompé, d'une certaine manière. De la pire manière. Elle s'était donnée à moi alors qu'elle ne s'appartenait plus. On peut être infidèle du cul, mais l'infidélité du cœur est une indicible ignominie. J'ai noté cette phrase, digne d'Oscar Wilde – ou Orson Welles, je les confonds.

J'avais décidé de kidnapper ses chats. La semaine suivante, le jeudi soir, durant son quart de travail. J'avais préparé une lettre lui expliquant mes griefs, lui exposant mes reproches. J'avais bien pesé mes mots. Ce n'était en rien une missive hystérique. Elle ne s'investissait pas dans la relation comme elle l'aurait dû et comme elle me l'avait laissé espérer lors de nos premiers échanges, sur Réseau Contact. Surtout, elle m'offrait un amour de seconde main, une passion de friperie où je ne venais probablement que remplir le vide laissé par son merveilleux Gregory.

En post-scriptum, je lui expliquais que c'est parce qu'elle tenait plus à ses chats qu'à moi que je les emmenais, jusqu'à ce qu'elle décide de s'investir et de ne plus jamais contacter Gregory. J'ai abandonné la lettre sous sa clé d'appartement, que je lui rendais du même élan. J'en avais fait tailler une copie le matin même. On n'est jamais trop prévoyant.

Je n'ai trouvé qu'un des chats, Ti-Gris. L'autre devait s'être planqué sous un meuble. Tant pis et tant mieux, un otage se transporte mieux que deux.

Ti-Gris était trop agité et a vomi sur le siège du passager de la Corolla de Nicole, prêtée pour l'occasion à grand renfort de promesses et de circonstances exceptionnelles. Très mal élevés, les chats de mon ex. Surtout Ti-Gris. C'est au moment de lui plonger la face dedans, pour l'éduquer, qu'il m'a griffé l'avant-bras. C'en était trop, je l'ai saisi par la nuque et l'ai lancé par la fenêtre, sur l'autoroute. Dans le rétroviseur, je l'ai vu rouler et buter contre un garde-fou. Aussitôt, j'ai ressenti un grand soulagement, un grand vide aussi. J'hésitais à rebrousser chemin, pour aller chercher l'autre otage.

Je fumais une cigarette, puis une autre, empruntant la route 276, lorsque les premiers appels d'Audrey ont fait vibrer mon téléphone. Elle était déjà de retour. Un voisin l'avait prévenue de ma visite, peut-être. J'étais inquiet de sa réaction. Je ne savais pas comment lui expliquer que Ti-Gris s'était échappé. J'ai décidé de laisser ma messagerie gérer la situation.

Finalement, la teneur des messages d'Audrey a démontré qu'elle était trop émotive pour s'engager dans une relation sérieuse. Elle criait sur ma boîte vocale et me menaçait de tous les maux, surtout d'une plainte à la police. C'était franchement exagéré et je ne lui ai jamais répondu. Il vaut mieux laisser un feu s'éteindre que de l'étouffer avec du bois mort.

Il m'arrive encore de m'apitoyer ou de me caresser en pensant à Audrey. Ce fut un amour bref, mais un amour quand même.

6

L'espérance

Je te jure, j'ai retrouvé ta mère. La voix éraillée de Marie-Josée me rappelait son corps maigre et sa langue douce.

Fais bien attention à ce que tu dis, Marie-Jo.

Je suis sérieuse, j'ai fait des recherches et je l'ai retrouvée. T'avais raison, elle est en Estrie, j'ai même une adresse. Sa tante Nicole, qui m'avait remis le téléphone, guettait mes réactions du coin de l'œil. Elle ne venait jamais au sous-sol. J'ai allumé une cigarette sans même remarquer qu'il en brûlait déjà une dans le cendrier.

First, de quoi tu te mêles ?

Je me mêle de rien, c'est toi qui disais que tu t'étais promis de la retrouver toute ta vie. Je trouvais ça touchant. Je voulais juste t'aider, moi. Nicole a ouvert la télévision, pour la frime, hypocritement calée dans le coin le plus inconfortable du divan pour avoir un angle idéal, tant sur moi que sur la conversation.

Tu voulais même plus me voir chez vous, tu t'es débarrassée de moi, pis là tu fouilles dans ma vie.

T'es parano ou quoi ? C'est toi qui m'as jamais redonné de nouvelles. Ça fait un mois qu'on t'a pas vu au bar. C'est toi qui boudes. Nicole n'en pouvait plus de feindre, elle s'est carrément tournée vers moi en baissant le volume de la télévision. C'était un cas d'intérêt majeur. Je me suis levé et suis allé poursuivre la conversation dans ma chambre. Le volume de *La poule aux œufs d'or* s'est élevé brutalement, à un niveau ne pouvant signifier que le mécontentement.

Comment t'as fait pour retrouver ma mère ? Les services sociaux m'ont toujours dit que ces informations-là étaient confidentielles, qu'ils pouvaient pas me les donner.

Penses-tu que j'ai appelé les services sociaux ? J'ai juste fouillé sur Google, qui m'a emmenée dans le bottin 411. Ça court pas les rues, des Marie-Madeleine. La seule que j'ai trouvée est en Estrie. Les hasards, ça existe pas. C'est ta mère. Il faut que t'ailles là-bas pour la retrouver.

C'était trop con pour que j'y pense moi-même.

À force de se suicider, on finit par mourir. C'est ce que je me disais, qu'elle devait être morte, elle aussi. Comme mon père. Ça me rassurait de me raconter ça, souvent. Elle ne souffrait plus, elle était partie pour de bon et j'étais seul. Mais savoir qu'elle était vivante, en Estrie, sûrement pleine d'espoir de me retrouver et de reprendre notre vie de famille, me bouleversait.

Elle avait dû tenter de me retrouver à ma majorité. Les intervenants voulaient me protéger d'elle, comme ils prétendaient quand j'étais jeune. Les sales rats de l'enfer. Aussitôt, j'ai placé tous ceux dont je me rappelais le nom sur ma liste de vengeance. Avec quelques parents de familles d'accueil, des cons qui m'ont battu en traître et des connes qui m'ont rejeté à tort, ils seraient en bonne compagnie.

Pauvre maman. Elle avait dû faire autant d'efforts que moi pour célébrer nos retrouvailles. Elle avait peut-être réussi à obtenir mes coordonnées dans les dernières semaines. Elle s'était peut-être même rendue à mon appartement. J'espérais que M. Paul ne lui avait pas raconté ce que j'avais fait de Princesse, ça pourrait lui donner une mauvaise image de moi. Je lui expliquerais. Elle me comprendrait, elle.

Le 1247, rue Prospect, Sherbrooke, J1J 1J4. J'avais même le numéro de téléphone : 819 555-4412. Toute mon adolescence, j'avais étrillé les travailleurs sociaux pour découvrir ces informations-là. À m'en épuiser. Eux aussi. Finalement, c'était une barmaid poudrée qui me tendait le Graal.

J'ai retranscrit les informations sur trois bouts de papier différents. Je m'assurerais de ne pas les perdre. J'avais tout appris par cœur en moins d'une journée de toute façon. J'ai fumé et haleté toute la semaine. Je peinais à gérer ma joie. Ça m'empêchait de dormir, me coupait l'appétit et grugeait mes ongles. Je me masturbais encore plus que d'habitude, et j'avais déjà mes habitudes. J'en étais à quatre fois par jour, parfois cinq. Heureusement, j'avais ma crème de zinc. Le prépuce devient vite

irrité et la peau du gland craquelle lorsqu'on les solli-
cite avec trop de régularité. J'ai recommencé à bégayer,
aussi. Il n'y a pas à dire, j'étais très heureux.

J'allais retrouver ma mère.

Il me fallait d'abord dénicher de l'argent pour
l'autocar. Je ne pouvais pas lever le pouce de nuit avec
mon sac plein d'objets aux origines particulières. La
fin justifie les moyens : j'ai gobé deux amphétamines
et me suis préparé à une nuit de magasinage rural.

J'ai pris soin de remplir mon gros sac de toile avant
d'entreprendre ma nouvelle quête. J'y ai entassé tous
mes avoirs. Au cas où je devrais partir la nuit même.
Je pourrais alors récupérer mon stock et aller me plan-
quer aux abords de l'arrêt de bus, prendre le premier
qui se présenterait et, dès l'aube, entamer ma nouvelle
vie. Vêtements, revues pornographiques et cigarettes.
L'essentiel y était.

Ma mâchoire s'agitait d'elle-même. Bon signe, les
cachets se diluaient dans le sang. L'énergie s'impré-
gnait dans mes nerfs. La nuit serait payante, je le pressentais. J'ai enfilé mes bottes et mon capuchon noir,
fourré mes gants et le tournevis au fond de mes poches.

Dès que Nicole a fait craquer son lit, situé juste
au-dessus de ma tête, je me suis extirpé par la fenêtre,
j'ai longé la clôture et me suis engouffré dans le boisé
derrière la maison. Je me suis allumé une cigarette.

La nuit est à moi, aurait crié Al Pacino, mais je ne pouvais pas attirer l'attention. Je jouissais en silence. On ne s'imagine pas la puissance du rôdeur, la liberté et l'euphorie qui mijotent dans le cœur des êtres prêts à tout. Je me grisais de ces pensées en circulant dans les cours des maisons, cherchant une demeure adaptée à mes besoins. Le temps filait et je ne trouvais rien. La nuit s'annonçait fraîche. Je ne suis pas douillet, mais je craignais d'attraper un rhume.

À l'orée du découragement m'est venue l'idée d'un braquage. Il y a rarement de l'argent sonnant dans les maisons. Sinon des pots de monnaie bien lourds et bien chiants. Je ne pouvais pas m'encombrer d'objets à receler. Je voulais filer au plus vite. Oui, ce qu'il me fallait, c'était le contenu d'un tiroir-caisse. J'ai regardé l'heure et, signe divin, le dépanneur du village fermait dans vingt minutes. Toutes les recettes de la journée n'attendaient que moi.

J'ai rabattu mon capuchon, rejoint la route et pressé le pas. Ce serait trop con d'arriver en retard. Un pick-up rouillé m'a frôlé. C'est un village de pauvres, mais il faudrait quand même qu'ils installent des trottoirs, un jour. C'est dangereux pour les honnêtes citoyens. Le camion a tourné dans le stationnement du dépanneur, à une centaine de mètres, mais a aussitôt fait demi-tour. Il revenait vers moi. J'ai empoigné le tournevis dans ma poche alors qu'il ralentissait à ma hauteur.

Excuse-moi, je cherche une adresse, mais mon GPS est perdu. Peux-tu m'aider ? Le gars semblait inoffensif, avec sa petite barbichette trop bien taillée. Sûrement un gai.

J'ai traversé la rue. Par la vitre entrouverte, il a fait mine de me tendre l'appareil. Je n'ai pas eu le temps de vérifier la fiabilité des indications. L'enculé numéro deux avait dû longer le camion pendant que je traversais. Je l'ai à peine vu surgir dans mon champ de vision. Un grand macaque, les bras levés. Je ne l'ai pas remarqué sur le coup, mais il devait brandir un bâton ou une matraque.

Administrer une bonne volée se fait en très peu de temps. Je crois qu'en vingt secondes c'était terminé. S'en remettre, c'est une autre histoire. Dans ce cas-ci, je me doutais que ce serait long. Dès que j'ai heurté le sol, l'enculé numéro un a sauté hors du camion et m'a roué de coups de pied pendant que l'enculé numéro deux continuait de battre la mesure, comme un métronome psychotique, bâton à l'appui. Ils ont redémarré en trombe, faisant lever la gravelle et la poussière. Je suis resté allongé un moment, laissant le nuage de leur départ précipité se déposer sur mes plaies, dans la lumière d'un lampadaire.

Tu y repenseras à deux fois, mon tabarnak ! Ce furent les mots choisis par numéro un. J'aurais pris un peu plus de détails, quand même. C'était qui, ces frappeurs à gages ? Approche professionnelle en ce qui concernait la puissance des coups, mais il y avait place à l'amélioration côté communication. C'étaient les cousins d'Audrey ? Des employés de M. Paul ? Une vieille dette qui m'avait retracé ? C'est le danger quand on a une vie bien remplie, on ne sait plus trop à qui on a affaire.

J'ai voulu me tourner sur le flanc pour prendre appui et me relever. J'ai bloqué à la première tentative.

Ils m'avaient pété des côtes, les enculés ! Mes mouvements étaient plus que limités. Mais je ne pouvais pas rester allongé dans la rue à attendre les secours. La police allait se pointer, probablement avec un mandat d'arrêt. Sinon, ils inventeraient. Ils sont allergiques aux jeunes se promenant dans les villages avec gants, outils et cagoule. Ils s'imaginent des choses.

J'ai essuyé le sang qui me coulait sur la paupière et, d'un élan, sans me laisser l'occasion de retourner au sol, je me suis assis. Je suis fait fort. Je pleurais, mais ça n'a rien à voir avec mon seuil de tolérance à la douleur. C'est physique, même mécanique, les larmes. Le corps se lubrifie pour mieux relancer les machines. Assis, j'avais la moitié du chemin de fait. Les paumes ensanglantées, je me tâtais pour savoir d'où venait tout ce sang. Je me suis foutu les doigts directement dans une plaie, à la base du cuir chevelu, au-dessus de l'œil droit. Ça laisserait une sale cicatrice. J'étais coupé au coude et ça pissait aussi par le nez, cassé. Je ne sais pas qui était le commanditaire, mais il s'était trouvé de bons sous-traitants. Ils savaient cogner. Je passerais ma vengeance sur quelqu'un d'autre. La roue tourne et je crois au karma. En attendant, j'ai ajouté deux enculés anonymes sur ma liste noire.

En trois minutes, j'étais debout. Il en a fallu la moitié pour faire le premier pas, mais une fois lancé, j'avais un bon rythme de croisière pour me rendre chez Nicole. Je ne perdais pas le moral. Même les Templiers avaient essuyé des pertes et des plaies.

7

Le sens de l'organisation

C'est agréable de respirer. On ne le réalise pleinement qu'avec des côtes et un nez brisés. Ça limite
et met l'acte en perspective. J'avais déjà le crachat
matinal assez coloré par la cigarette et autres substances, c'est devenu de purs petits chefs-d'œuvre
d'art contemporain.

Nicole s'est acharnée à me convaincre de l'importance de consulter un médecin, mais je l'ai rassurée
et valorisée dans son rôle d'infirmière de fortune. Les
pansements suffiraient pour fermer les plaies, le nez
cassé ajouterait à mon style et, de toute façon, on ne
pouvait rien faire pour les côtes. *Le temps arrange toujours tout, ma belle Nicole.* Je profitais de la situation
pour lui emprunter encore plus d'argent et l'envoyer
faire mes courses. Pendant qu'elle allait chercher la
bière et les cigarettes, je faisais venir le petit vendeur
du village pour me renflouer en amphétamines et
en haschisch. Excellents produits, pour du régional.
Je suis parvenu à me faire avancer un peu de stock

aussi. Une période d'abondance. Et d'insoutenables douleurs.

Les premiers jours, j'arrivais difficilement à soulager mes tensions sexuelles de manière autonome, pour cause de coude et de côtes dysfonctionnels. Le mélange d'amphétamines, de vin et de bière aidant, j'ai exposé mes difficultés à Nicole, qui trinquait avec moi à l'occasion. Je lui ai fait comprendre, à mots couverts, qu'elle pourrait m'être d'un grand secours à cet égard. Elle ne s'était pas enfilé de jeune homme depuis quelques décennies. J'ai trouvé preneuse et elle m'a pris.

Le corps a ses obsessions que le cœur ne valide pas. Nicole était vieille et dodue, mais je pouvais deviner sa beauté révolue, d'une autre époque. C'était une femme douce, pleine d'attentions pour moi. Elle méritait bien ça. C'était de la charité que je faisais.

Allongé dans son lit, bien plus confortable que le mien, je me suis fait un devoir de garder les yeux clos, de m'ouvrir l'esprit et de fouiller dans ma banque d'images salaces. Elle était toute en petits coups de langue et en gémissements, la Nicole. Lorsqu'elle m'a enfin chevauché, j'ai pu comparer la maigreur de sa nièce à la corpulence de son corps. Je me sentais enfoncer dans le matelas. Curieux, j'ai ouvert les paupières mais les ai refermées aussitôt. Trop tard. J'avais vu la bête. Malgré mes habitudes, je savais que je ne pourrais éjaculer rapidement. Au bout de la stimulation apparaît la simulation. J'ai feint un orgasme poli et me suis plaint de douleurs aux côtes. Elle s'est retirée péniblement et s'est excusée.

Mais non, mais non, c'était bon. Faut pas s'excuser…
Il reste une bouteille de rouge à ouvrir, right ?

Salut, maman, tu me reconnais ? Tu es belle. Non.
 Heille, mom, je t'ai finalement retrouvée. T'étais bien cachée. Non plus.
 Maman, on peut enfin envoyer chier les services sociaux et passer du temps ensemble. T'es heureuse ? Si je manquais d'aise devant mon propre miroir, j'imaginais mal des retrouvailles réussies en chair et en os. Je me suis rassuré en me répétant que c'était ma tête qui ne me revenait pas. J'avais encore un œil enflé, les lèvres un peu fendues, et je ne m'habituais pas à la courbe, plutôt l'angle, de mon nouveau nez.
 Depuis le temps, on doit en avoir des choses à se raconter ! Non, ça n'allait pas, j'ai abandonné la mise en scène et je me suis roulé un joint. Puis un autre.
 Détendu, j'avais les idées plus claires. Ça ne me donnait rien de visualiser cette rencontre, il fallait la provoquer. Les grands événements ne se planifient pas, ils se vivent. *Come to the West, we'll do the rest,* comme chantait Lucien Francoeur. Je n'avais qu'à me rendre à Sherbrooke, débarquer rue Prospect, frapper à sa porte et laisser le destin agir. Les liens du sang sont plus forts que tout, c'est documenté. J'en ai roulé un troisième, je me suis étiré et j'ai testé le rétablissement

de mes articulations. J'étais en mesure de me gâter par moi-même. C'était décidé. Je partais demain.

Demain, c'était hier. J'ai trop bu, trop fumé, baisé avec Nicole, encore. Sans envie, mais l'occasion fait le larron. Et il y avait jurisprudence. Et l'alcool et la fatigue. Je ne cherche pas à me justifier. Absolument peu.

Comme les chiens, les humains restent pris ensemble un certain temps après l'acte. C'est la vie qui veut ça. On est allés jusqu'au bout, cette fois. J'ai eu l'impression que ça m'avait dessoudé les côtes. C'était douloureux, pour vrai. J'allais attendre à lundi pour le grand départ, finalement. C'était mieux, ça rime avec Estrie, lundi. En attendant, je me laisserais dorloter par la grosse Nicole et trouverais des fonds pour le voyage.

Comme une fleur, pousse là où Dieu te dépose. C'est chrétien. Ça vaut pour les criminels aussi. J'avais beau me retourner la tête dans tous les sens, je n'entrevoyais pas de rentrée rapide de liquidités dans mon état, et le premier du mois était encore loin. Lundi était arrivé. J'ai puisé dans le sac à main de Nicole.

Elle ne se levait jamais avant neuf ou dix heures. C'était parfait, le car Intercités partait à huit heures et quart. Je me suis refusé à Nicole après la deuxième bouteille de rouge. Elle était fort déçue. Je la comprends. J'ai gobé trois cachets pour être sûr de ne pas m'endormir, j'ai planqué l'alcool qui restait dans mon sac. Aux premiers rayons du soleil, j'ai passé go et ramassé presque deux cents dollars dans la sacoche.

Je boitais vers le fameux dépanneur où le bus devait me prendre quand j'ai remarqué le sang dans la rue. Malgré une nuit pluvieuse, mon hémoglobine avait taché l'asphalte. Il en avait coulé de la rue jusqu'au gravier la bordant. J'en ai retiré de la fierté. J'avais marqué le village, d'une certaine manière. Et je l'ai quitté sans autre cérémonie.

Une fois installé au fond du bus, calculant les liquidités qui me restaient après le paiement du voyage, du vol pur et simple, j'ai senti la fatigue me gagner. J'ai dû me faire violence pour demeurer éveillé jusqu'à Drummondville, où je devais prendre ma correspondance vers Sherbrooke. J'étais hypnotisé par les kilomètres de route et de forêt.

J'ai flâné à la gare de Drummondville. Le bus a failli repartir sans moi. Le chauffeur m'a ouvert la porte et m'a lancé un regard méprisant. J'ai exigé de savoir son nom avant de rejoindre mon siège. Je me vengerais de lui aussi, un de ces quatre. Il me faudrait bien mettre ma liste à jour, et par écrit. Je risquais d'en oublier. *Il y a trop de salopes et de salopards qui connaîtront la fureur de mon courroux, yeah, fuck you!* Ça sonnait bien, ça. J'avais un nouveau refrain.

Il fallait que je déniche une maison de disques, ça urgeait.

Le temps était gris, la route était grise et j'étais vert. Fatigue et faim accumulées. Trente heures sans dormir. Quinze heures sans manger. À la gare, j'aurais dû chercher de la bouffe plutôt que flâner. Trop tard. J'observais les sorties d'autoroute défiler en me rappelant que tout irait mieux dans ma nouvelle vie.

C'était la première fois que je voyageais aussi loin.

Sherbrooke. La ville de ma mère. J'étais presque ému. Si elle avait choisi de s'installer ici, ce n'était pas pour rien. Cet endroit devait lui ressembler ou lui être cher. J'y ai posé le pied avec une certaine retenue. J'ai pénétré la cité de ma mère avec respect.

Une fois les petits besoins comblés, je me suis dévisagé dans le miroir. Mon visage était encore tuméfié. Mes vêtements étaient sales. J'aurais dû demander à Nicole de s'en occuper avant de partir. J'étais cerné, aussi. J'avais besoin d'un café, d'un bain chaud et d'un lit bordé de draps blancs. J'ai quitté la gare en sifflotant du Éric Lapointe.

Ce qui est bien avec les terminus situés en plein centre-ville, c'est qu'on tombe rapidement sur les travailleurs de rue. J'en ai embobiné un avec mon histoire habituelle de rupture amoureuse et de perte d'emploi sur fond de maladie des os et, en moins de

deux, il se démenait pour me trouver de l'hébergement. Le transport était même fourni. Il m'a emmené
jusqu'à la ressource, une espèce d'Accueil Bonneau de
région où j'ai dû m'obstiner avec l'intervenant pour
avoir un lit. Je n'avais pas de pièce d'identité avec
photo ni de répondant.

J'ai ajouté deux ou trois couches de bons senti-
ments et une menace de suicide à peine voilée à mon
histoire pour faire plier le préposé. La chambrette était
propre, et les conditions, acceptables : aucune drogue
ni alcool, et je devais sortir le jour, entre huit et dix-
huit heures. Si j'y demeurais plus d'une semaine, il me
faudrait mettre en place un plan d'intervention pour
me trouver un logement. *Avec plaisir, mon grand.* Je
me suis dirigé vers la soupe, qui n'était pas si populaire, puis j'ai profité de ma première nuit dans la ville
de tous les possibles pour dormir du sommeil du juste.

Le petit intervenant de la veille est venu me réveiller.
J'ai maugréé en faisant mine de me rendormir. C'était
un persévérant. *On t'a même laissé plus de temps.
T'avais l'air tellement fatigué. Là, faut vraiment que
tu te lèves. On ferme l'accès au centre, de jour, de toute
manière.*

La levée du corps a été pénible. Je me suis traîné
jusqu'aux douches, ai craché mon sang quotidien
et profité de l'érection matinale pour me détendre.

Incroyable, le poméranien de service est venu me harceler jusque sous la douche. Il m'appelait par mon nom d'emprunt du moment. Je ne me reconnaissais pas. Les brumes de l'aurore. *C'est à moi que tu parles ?*

Ça fait plus que vingt minutes que t'es là, faut que tu te dépêches. On ferme pour la journée. La vie est dure pour les voyageurs.

J'ai cherché une source de revenus en errant dans la ville. Les femmes et le soleil m'écartaient de ma quête. Je devais m'arrêter souvent. À la quantité de jupes et de leggings que j'ai croisés, je n'arriverais pas à trouver un bon coup à faire ce jour-là. Il me fallait de l'argent. Pour mon automédication et pour acheter des fleurs à ma mère. On ne se pointe pas chez les gens les mains vides. Il faut des fleurs ou une arme, c'est documenté. En attendant, j'ai décidé de profiter de l'air conditionné de la bibliothèque municipale.

Profiter de l'instant présent. Lire les signes. Maître Eckhart m'aurait poussé à saisir l'occasion. Dès mon arrivée dans le hall d'entrée, le tableau d'affichage m'a sauté aux yeux. Je ne prends jamais la peine de regarder ces petits messages et annonces de spectacles d'artistes aussi minables que locaux, mais là, mon œil s'est accroché sur un logo. Dans le coin des offres d'emploi. La SPA de l'Estrie cherchait un technicien en santé animale. La Société protectrice des animaux. Seize piastres de l'heure. C'était, sans aucun doute, un emploi parfait pour moi.

J'ai beaucoup expérimenté. Mais ce n'est pas le type d'expérience que l'on peut mettre sur un CV. Grâce aux réseaux sociaux et à l'imbécillité du citoyen moyen, j'ai trouvé sans effort chaussure à mon pied et identité à mon CV. Le gars était originaire de Mascouche, avait obtenu son diplôme d'études collégiales deux ans plus tôt et indiquait même son dernier employeur. Ses connards d'amis lui souhaitaient bon anniversaire un mois plus tôt. La totale. Les âges collaient, j'ai ajouté un employeur fictif, et j'avais en main le curriculum vitæ idéal du technicien en santé animale. Pour me porter chance, et parce qu'il fallait bien mettre une adresse, j'ai indiqué celle de ma mère. J'étais tout excité à l'idée d'avoir un premier emploi. Je me suis arrêté aux toilettes avant de partir.

Ce qui était pratique avec la bibliothèque municipale, en plus des livres à lire, de l'accès à Internet et des filles en jupe, c'est qu'elle était à deux pas d'un bazar. Un bazar qui rachetait les livres, à faible prix, mais en quantité. Je bourrais mon sac à la bibli et le déchargeais cinq bâtisses plus loin. Il n'y a pas que l'économie qui doit rouler, la littérature aussi.

Comble de bonus, à quelques portes du bazar nichait le pub Rob N' Kurt. J'ai tout de suite découvert que c'était la source idéale pour me renflouer en amphétamines bon marché. D'autres substances intéressantes étaient offertes, mais mes besoins me poussent vers ces pilules, dont l'effet est puissant et dure longtemps. Je fume et bois aussi, comme tout le monde. On a tous besoin de notre béquille. Vivre est insupportable, sans soutien.

Ce petit triangle des Bermudes estrien m'a sauvé la vie, à l'arrivée. Mais comme tout bon criminel ou homme d'affaires, j'allais me diversifier.

8
La reconnaissance

Ma mère portait les cheveux courts. D'habitude, ça me déplaît. Je préfère quand les femmes marquent bien leur genre avec des cheveux longs, des traits fins et des jupes. Peut-être parce que c'était ma mère, je la trouvais jolie quand même. Elle était paisible, évoluait dans son appartement d'un pas léger, tout en douceur. Peut-être qu'elle ne se consacrait plus à la psychiatrie. Elle regardait la télévision en mangeant des graines de tournesol presque tous les soirs. Elle parlait souvent au téléphone, aussi.

Depuis trois soirs que je l'espionnais, il m'arrivait de reconnaître ses expressions, ses sourires. C'était ma maman. J'étais prêt à parier et à payer pour un test de maternité.

Elle avait changé, grossi et vieilli, mais c'était encore une belle femme. J'étais impatient de la rencontrer, officiellement, et de voir son visage s'émerveiller en me reconnaissant. Pour l'instant, je préférais fixer mes repères et apprendre à la connaître dans son intimité.

Elle résidait au rez-de-chaussée d'un triplex et couvrait ses fenêtres de rideaux blancs translucides. Je devrais la prévenir que ce n'était pas sécuritaire, qu'elle s'exposait aux voleurs et aux pervers. Je m'enorgueillissais à l'idée de protéger ma mère.

Ce soir-là, je suis resté accroupi à la fenêtre près de trois heures, jusqu'à ce qu'elle se rende à sa chambre et éteigne toutes les lumières. Je lui ai fredonné une berceuse. Je ne me rappelais pas toutes les paroles alors j'improvisais. Je suis très vif de l'esprit. Une troublante sérénité m'habitait à ce moment.

Je suis rentré au centre en boitant, tranquillement. Je sifflotais *Dear Mama*, de Tupac Shakura. C'est triste que le gouvernement l'ait fait assassiner. C'était un grand artiste, Tupac. Mais il était trop pacifique. Comme John Lennon ou Malcolm Luther King. Le gouvernement ne peut pas se permettre de laisser vivre les artistes pacifistes. C'est une question économique.

Je suis arrivé au centre, la tête pleine de ma mère et d'enjeux internationaux. Je me suis heurté à une porte fermée, le poméranien refusant de me laisser entrer. Il était trop tard, les règles étaient claires et strictes. Je devais contacter Urgence-Détresse si je voulais de l'hébergement pour la nuit. Je lui ai plutôt juré de me jeter devant le prochain train, et j'ai passé la nuit bien au chaud dans ma chambrette.

Toujours pas de réponse de la SPA. Trois jours déjà qu'ils avaient reçu mon nouveau CV, merde ! Ils avaient besoin d'un technicien ou pas ? J'ai profité de ma présence à la bibliothèque pour lire les messages reçus à mes huit autres adresses courriel.

Il y avait encore plusieurs femmes de la Côte d'Ivoire qui brûlaient de se marier avec moi, j'avais encore gagné des centaines de milliers d'euros, n'ayant qu'à réclamer mon prix, et, bien sûr, on me proposait d'élargir mon pénis. Cette dernière proposition m'agaçait toujours. Je ne pouvais m'empêcher de me questionner, de m'inquiéter. Était-il possible que ce soit de la publicité ciblée ? Est-ce que quelqu'un avait informé cette compagnie de mes proportions péniennes ? J'ai une grosse bite, il n'y a pas de doutes à avoir. Pas autant que Steve l'Haïtien ou que les acteurs pornos, mais je suis assez convaincu d'avoir un pénis normal, donc gros. Les femmes adorent ça, c'est documenté.

Plusieurs messages de sites de rencontres aussi. J'avais laissé mes comptes actifs. J'ai fureté un peu, pour voir les nouvelles candidates sur le marché. Rien d'intéressant. J'ai quand même tendu quelques perches aux moins laides.

Sur une adresse plus personnelle, je suis tombé sur un courriel de Marie-Josée. *Répon moi C URGEN.* Je déteste qu'on me donne des ordres et je méprise les analphabètes, alors les chances que je lui réponde s'amenuisaient avant même que je prenne connaissance du message. Ce n'était qu'un fouillis d'insultes et de menaces. Sa tante était dans le trouble parce que je n'avais jamais payé le loyer en plus de l'avoir légèrement délestée *en me sauvant comme un voleur*. Mais le pire pour elle, c'était que j'étais un *estie de pas prope*. Elle revenait d'une clinique avec la confirmation que je lui avais transmis des infections. J'ai esquissé un sourire. Pauvre elle. Le sexe, c'est une roulette russe, ma belle. Aucune allusion à la santé génitale de sa tante Nicole. J'en ai déduit qu'elles ne s'étaient pas confiées l'une à l'autre.

Elle avait dû encaisser un diagnostic d'herpès génital. Je traîne ça depuis quelques années. Il paraît que ça ne guérit jamais, mais je suis chanceux, car j'ai très peu de symptômes. On m'a expliqué que, selon le groupe sanguin, le taux d'acidité du corps et d'autres facteurs, on peut être presque asymptomatique. C'est mon cas. Je fais partie des millions d'herpétiques de la planète. Il n'y a pas de quoi en faire un drame, vraiment. Marie-Josée avait dû être mal rassurée par son infirmière. C'est commun et il y a des crèmes.

Le temps de faire une dernière tournée de mes boîtes de messagerie et bingo, la réponse de la SPA était arrivée. Plein d'espoir, j'ai ouvert le message, et double bingo, les quatre coins et une ligne complète ! La direction désirait me rencontrer le vendredi suivant à dix heures pour une entrevue d'embauche.

La disette et le vol de livres à la pièce achevaient. Ce serait un emploi sur mesure pour moi. Sur leur site, j'avais noté qu'on offrait aussi des services à domicile, en plus de la vente de bêtes et des soins offerts au bureau principal. J'aurais accès à des résidences pour du repérage et je pourrais me servir dans la petite caisse. Sans compter qu'il y aurait plein d'animaux abandonnés sur place. Je pourrais me détendre.

Ma mère a découché. Je me suis retrouvé seul, accoudé à sa fenêtre. C'était la première fois de la semaine qu'elle me faisait ça. Aucune lumière allumée chez elle, rien pour se prémunir contre un voleur. L'envie de visiter son appartement m'a pris, mais je suis respectueux. Je suis resté là, hébété, près de deux heures. À me demander où elle pouvait être et, surtout, avec qui.

Avant de rentrer au centre, j'ai fouillé dans son courrier et pris la facture du câblodistributeur. J'y dénicherais des informations sur elle et sur ses goûts. Tout au long du chemin du retour, j'ai gardé ma main moite serrée sur l'enveloppe. Un trésor. Un morceau de ma mère. Je prendrais le temps d'en scruter chaque parcelle.

Je n'ai pas dormi de la nuit. Je lisais et relisais le nom sans arrêt. Marie-Madeleine Fournier. Je n'avais pas assez de neurotransmetteurs pour gérer tout ce qui se bousculait dans mon crâne. Et je suis intelligent. C'était plus d'hypothèses qu'un humain pouvait en supporter. Je subissais une surdose massive d'hypothèses.

Marie-Madeleine Fontaine. C'est ça, le nom de ma mère. Est-ce que Marie-Josée m'avait donné la mauvaise adresse ? Est-ce que ma mère s'était mariée ? Existait-il d'autres Marie-Madeleine F. au Québec ? Est-ce qu'elle se cachait sous un faux nom, elle aussi ? Était-ce possible que je ne l'aie pas reconnue ?

Non. Si c'était une étrangère, je n'aurais pas eu le sentiment que c'était ma mère. Dans les mimiques, le sourire et sa façon de tenir son téléphone, je l'avais reconnue. J'étais formel. C'est impossible de se tromper là-dessus. Si ce n'était pas elle, est-ce que ma mère était en Estrie, ou elle était morte comme mon père, peut-être ? Non.

Je reconnaîtrais ma mère entre mille. J'ai l'instinct maternel.

J'irais la voir et je mettrais tout au clair. Oui. Samedi. Ou lundi. Pour l'instant, nul besoin de me torturer. Il y avait eu trop de signes, cette femme était ma mère et c'était tout !

Le mélange d'adrénaline, d'amphétamines, de nicotine et d'espoir m'empêchait de dormir. Il me fallait un verre ou deux ou trois bouteilles. Il me fallait me détendre à l'alcool, ma poigne n'étant plus d'aucun secours. Je voulais sortir par une fenêtre, mais elles étaient toutes vissées. J'ai ramassé mes affaires et m'apprêtais à sortir, de gré ou de force, par l'entrée principale quand un intervenant m'a apostrophé. Plus doberman que poméranien, celui-là. *Si tu pars, tu reviens pas.*

Je reviendrai demain, c'est tout.

Non, si tu pars comme ça, au milieu de la nuit, pas question de revenir dormir ici avant une semaine. Et tu vas devoir refaire le processus d'inscription ! On a des ententes et tu peux pas sacrer ton camp comme ça, dans le milieu de la nuit… C'est pas un moulin, icitte !

Je lui ai sauté à la gorge et lui ai mordu un œil. Dans ma tête. En réalité, je suis resté bien calme et j'ai inscrit le simili-doberman et le centre sur ma liste de vengeance. L'entrevue d'embauche devait se dérouler le lendemain. Il me fallait une douche et un point de chute. Sans autre choix, je suis retourné à ma chambre en maugréant.

Il m'a fallu une quantité phénoménale de crème de zinc, le lendemain. Je n'avais pas fermé l'œil de la nuit. Je n'étais pas détendu du tout.

Ils se sont presque excusés de me donner l'emploi. Étant donné mon diplôme collégial et les compétences que je mettais à leur disposition, ils auraient préféré m'offrir un poste mieux rémunéré, plus près des soins aux animaux. Une place se libérerait dans les mois à venir, sans doute. En attendant, je serais sur la route, avec Reynald. Bon joueur, je leur ai assuré que cet arrangement me convenait, pour l'instant.

Ils m'ont fait signer tout un paquet de consentements et de décharges. Ensuite, j'ai écrit toutes les informations que je possédais sur mon alter ego,

ayant déniché son numéro d'assurance sociale directement en contactant l'assurance-emploi, et j'ai donné
l'adresse postale de ma mère. Je leur ai expliqué ma
situation particulière. Ayant été victime d'un récent
vol d'identité, je ne pouvais recevoir de dépôt direct
dans mon compte. On devrait donc me remettre mon
chèque de paye en main propre ou le faire suivre à
l'adresse sur le formulaire.

*Évidemment, nous comprenons. C'est un plaisir de
vous accueillir dans notre équipe. Vous verrez, on forme
une belle grande famille.*

Et voilà, j'étais un employé de la Société protectrice
des animaux. Un emploi intéressant, surtout du point
de vue sociologique. Je pouvais observer de près la
manifestation pathétique du bonheur égocentré dans
l'anthropomorphisme. Je me relis et je suis bien fier
de ma phrase... Pour les ignares, je veux juste mettre
en lumière la connerie et l'égocentrisme de monsieur
et madame Tout-le-monde. Surtout madame, quand
elle habille sa bête avec des petits manteaux ou entretient de longues conversations avec l'animal.

Tous les jours, les bonnes âmes venaient acheter
des bêtes à bas prix en se flattant la conscience. Ils sau-
vaient un animal de la mort et du désert affectif. Ah!
Il en restait encore une centaine en arrière ; juste pour
maintenir une quantité viable, on en tuait une vingtaine par semaine. On remplissait un conteneur par
mois de bestioles adorables.

Par-dessus tout, ils choisissaient leur bête. C'est
là que la bassesse blesse. Personne ne prend le plus
vieux, le plus magané ou le plus agressif. On veut des

animaux dociles et pleins d'avenir. La bonne action doit être diluée dans ce qu'on y gagne, dans le profit personnel.

On a le même problème avec les familles d'accueil, en fait. On veut bien prendre le chèque et se lustrer la conscience, mais on ne veut pas des troublés, des handicapés et autres morveux exigeants. On veut des enfants en besoin, mais juste assez pour combler les nôtres. Les animaux et les enfants abandonnés ont intérêt à être mignons. J'ai été bien placé pour vous le dire.

L'après-midi même, je roulais dans le camion aux côtés du fameux Reynald, petit, costaud, grisonnant et malcommode. Trop d'années consacrées à travailler auprès des bêtes l'avaient affecté. Il grognait plus qu'il ne parlait et se grattait la fourche avec une vigueur primale. Je sentais que nous allions avoir une belle complicité. J'étais impatient de tuer des animaux en sa compagnie.

Posté à l'entrée d'un centre commercial, je m'ennuyais ferme dans la distribution de dépliants de l'organisme lorsqu'on a reçu le premier appel sérieux. Un rottweiler effrayait les passants aux abords du bois Beckett. *Il faut le maîtriser et l'amener, en cage, à la Société protectrice des animaux.* Reynald n'utilisait jamais le diminutif. C'était un homme prestigieux. Il égrenait son titre, ses années d'expérience et ses faits d'armes à la moindre occasion. Il a confirmé réception de l'appel et m'a offert son premier sourire de la journée. Ce devait être une intervention importante. *On va travailler avec la police, là-dessus.*

En moins de deux, de jolies auréoles se sont dessinées au niveau de mes aisselles. Ma petite chemise beige, fraîchement sortie de l'entrepôt, se souillait. *Pourquoi la police ? C'est rien qu'un chien. On est capables de s'en occuper, non ?*

Reynald a marmonné. Je commençais à répéter, mais il m'a coupé et a articulé : *C'est des citoyens qui ont porté plainte, y ont sûrement contacté la police direct. Ce que j'ai compris, c'est que le chien est attaché, mais il jappe dès que quelqu'un passe proche. La police doit chercher le maître. Un autre génie qui s'est acheté un chien de guerre en plein quartier familial !*

L'expérience parlait par la bouche de Reynald. La situation s'est révélée exactement comme il l'avait annoncée. Le gros chien noir bavait en tirant sur sa laisse, grognait et aboyait. Au bout d'une chaîne fixée à un poteau de téléphone, les risques étaient minces, mais un enfant aurait pu s'approcher et être défiguré. J'ai laissé Reynald faire son brin de jasette avec les poulets pendant que je sortais le matériel du camion. Bâton télescopique, fusil à fléchettes tranquillisantes, trousse de soins et la grosse cage où il nous faudrait entasser le molosse.

La bête a deviné qu'on n'était pas là pour lui donner la patte. Dès qu'on s'est approchés, elle s'est mise à grogner en mordant sa chaîne. On avançait prudemment, sous le regard admiratif des policiers et de quelques curieux demeurés sagement au bord de la rue. Le cerbère s'est plaqué au sol, prêt à bondir. C'était excitant. Si ce n'avait été de la présence policière, j'aurais mieux profité du moment et du flot d'adrénaline, mais je désirais juste repartir avant qu'on ne s'intéresse à moi. Vieux réflexe de bandit averti. Même quand on n'a rien de compromettant sur soi, on ne sait jamais avec les bœufs, ils peuvent faire preuve de curiosité et chercher à connaître l'identité des gens.

Après plusieurs approches aussi douces qu'infructueuses, Reynald a diagnostiqué un niveau d'agressivité nécessitant l'utilisation des fléchettes tranquillisantes. Il m'a tendu la petite carabine qu'il venait de charger. *T'as déjà fait ça, le jeune ?*

Oui, oui, dans nos cours au cégep, on a souvent testé ça. Il m'a regardé avec suspicion et m'a rappelé de me tenir à une dizaine de pieds.

Je suais tous les liquides de mon corps. Me retrouver avec un fusil dans les mains, à proximité de policiers, c'était surréaliste. Le rêve et le cauchemar s'entremêlaient dans une tresse mystique. Il m'est même venu à l'esprit que je vivais une expérience chamanique. C'était ma chance de tirer sur un policier pour rejoindre mes idoles du crime organisé. Mais je percevais aussi le danger de la situation. Leurs balles de .38 risquaient de me calmer plus efficacement que mes fléchettes paralysantes. Et ils étaient deux. Ce n'était que partie remise.

Tous les regards étaient braqués sur moi. Une cycliste essoufflée s'était même arrêtée pour prendre des photos. Un filet de sueur me coulait dans la raie. Ma chemise était trempée. Il fallait que ça se termine au plus vite. Je me suis accroupi, j'ai pris appui sur mon genou et j'ai tiré.

Pas la tête, calvaire ! Tu l'as tiré dans tête !

Je ne pouvais pas savoir, moi. J'ai décidé de plaider la légitime défense. *C'est le chien qui a bougé ! Juste au moment où je tirais.* Le temps d'argumenter, le molosse, tout étendu, ronflait. Reynald s'est jeté dessus et a pris son pouls.

J'espère qu'il aura pas de séquelles. Je sais pas ce qu'ils vous apprennent au cégep, mais vous manquez de pratique. J'ai acquiescé, l'esprit ailleurs. Je devais absolument me procurer ce type de fusil à fléchettes pour mon usage personnel.

9
L'intimité

Je n'avais jamais vu ma mère caresser un homme. L'idée ne m'avait même jamais traversé l'esprit. Personne ne devrait voir ce genre de choses. La plupart des gens dits normaux ne les voient pas, d'ailleurs. Je crois que c'est une pudeur innée servant à préserver l'espèce. On sait qu'il est préférable d'éviter de fantasmer sur sa mère. Une espèce de mécanisme qui empêche l'excès de consanguinité au sein de la grande fratrie humaine.

L'homme était costaud et barbu. Je me suis demandé si c'était agréable lorsqu'il l'embrassait, si ça ne lui piquait pas les lèvres, à ma mère. Maman devait avoir des lèvres délicates. Tout affalé sur elle dans le divan, il s'en donnait à cœur joie. Il me paraissait cavalier et lui pelotait les seins avec acharnement, les malaxait presque. L'envie m'a pris de frapper contre la vitre pour sauver ma mère. Peut-être que ça ne lui plaisait pas et qu'elle attendait seulement l'occasion de se libérer. Je me suis retenu, ai détourné le regard.

J'étais déjà posté à la fenêtre lorsqu'ils étaient arrivés, ensemble. L'homme avait une belle voiture, avec un aileron. Il devait être riche. Ils avaient ri et s'étaient embrassés sur le pas de la porte avant de pénétrer dans l'appartement de ma mère. J'étais soulagé de la voir rentrer mais contrarié qu'elle soit accompagnée. Après un long moment de préliminaires et de petites coupes de vin dans un angle de l'appartement qui m'échappait, ils s'étaient installés au salon. Juste sous mon poste d'observation. À l'instant critique où les organes allaient émerger s'est déclenché le providentiel réflexe féminin de la discussion. Bravo, maman !

Je scrutais l'homme avec soin. C'était chez lui qu'elle avait découché, c'était évident. Elle respectait les règles, ma mère. Un homme à la fois, ne serait-ce que pour l'hygiène. Je me demandais depuis combien de temps ils se fréquentaient quand l'idée m'a frappé en plein front. Je suis presque tombé à la renverse, dans la haie de cèdres. C'était mon père ! Peut-être.

J'étais poilu, moi aussi, un regard sombre sous de gros sourcils. Et j'aimais les femmes à pleines mains tout comme lui. En le dévisageant davantage, j'ai réalisé que nous avions les mêmes pommettes proéminentes. Fournier. Je me nommerais donc Fournier. Était-ce Louis ou Marco ? Lequel de ces prénoms ayant miné mon enfance portait ce bel homme qui caressait ma mère sans plus de retenue ?

J'ai laissé ma mère abandonner ses résistances et sa petite culotte, m'accroupissant sous la fenêtre pour réfléchir et rêver. Je rêvais tellement fort que ça couvrait le bruit de leurs ébats.

Les pièces du casse-tête s'emboîtaient. Ma mère était venue vivre en Estrie pour retrouver l'homme de sa vie, mon père, qui s'appelait Fournier, prénom à préciser. Elle s'était mariée avec lui et avait pris son patronyme, d'où l'abandon de Fontaine. Ils avaient assurément cherché à me contacter, mais les enculés de fonctionnaires des services sociaux avaient fait obstacle. Et moi, déterminé, je venais à eux.

Nous allions reconstituer notre famille.

Le cœur me cognait à la porte de l'espoir avec ardeur. J'en avais le souffle court et l'arythmie galopante. Cette prise de conscience était fabuleuse mais me donnait le vertige. J'ai fait quelques exercices de respiration et me suis envoyé une demi-amphétamine et un petit joint pour calmer mes nerfs. Je gérais ma consommation avec parcimonie. J'étais pauvre, surtout. Mais la richesse est à l'intérieur, à l'intérieur de cet appartement où m'attendaient mes parents.

Ils avaient quitté le salon. Ils allaient s'achever dans la chambre. Les rideaux étaient opaques, mais je percevais, dans le filet de lumière qui berçait le châssis, le halo des chandelles. Ça m'a attendri. C'est romantique, les chandelles. J'étais rassuré. Mes parents s'aimaient.

Je leur ai souhaité bonne nuit et j'ai repris ma route en sifflotant *L'Été indien*, une ballade de Michel Fugain.

Les cadavres sont rigides et lourds. C'est étonnant, les corps morts. Animaux et humains confondus. Ce sont des objets de viande. Ça ne se manipule pas comme un bibelot, mais presque. Des bibelots de viande lourde.

Le premier chien ramassé au bord de la route était fraîchement accidenté et un peu mou. Déjà, la masse de la bête m'impressionnait et se maniait mal, mais j'ai surtout découvert le poids de la mort avec les petits animaux. Les ratons et les chats, particulièrement. On peut les saisir d'une seule main, mais dès qu'on les soulève, on réalise à quel point la vie apporte de la légèreté.

Reynald m'a annoncé franchement qu'il me trouvait bizarre, mais que je travaillais bien. L'épisode du rottweiler s'était révélé sans conséquence. Je ne rechignais pas à la tâche et ne craignais aucune bête, morte ou vive. C'était tout ce qui comptait pour lui. Je manipulais les cadavres et les blessés avec assurance, une qualité rare. Il aimait la fermeté avec laquelle je maîtrisais les agités. Si je demeurais aussi efficace, il recommanderait mon embauche dès la fin de ma période de probation.

J'étais flatté. Ça me confirmait surtout que je n'avais nul besoin de diplôme. Toute ma jeunesse, on avait voulu me faire croire que ma tête était l'habitat naturel de l'incompétence. Et maintenant, j'étais engagé comme professionnel avec un tas de responsabilités.

Mettez ça dans votre pipe puis enfoncez-vous-la dans le cul, messieurs les orienteurs.

Je suis un intuitif, moi, un naturel, comme on dit. Les diplômes, c'est juste bon à insuffler de l'estime aux sans-talent. C'est du bourrage de crâne aux frais du contribuable et c'est tout. Einstein n'a jamais fait de doctorat en relativité. Aucun grand auteur n'a étudié la littérature. Même les saints n'avaient pas de formation en théologie. Dans la vie, tu l'as ou tu l'as pas. Moi, je l'ai.

Malgré mon talent, je n'avais pas l'intention de travailler très longtemps. Pourtant, Reynald m'en donnait presque le goût. J'aimais bien qu'on souligne mes qualités, et il devenait d'agréable compagnie, après le troisième café.

J'arrivais à survivre en volant mon alcool à l'épicerie et en revendant au prêteur sur gages des babioles dérobées dans les commerces voisins, quand ce n'étaient pas des collections complètes de la bibliothèque. L'idée de m'installer dans ce boulot stable à la SPA m'a traversé l'esprit, comme on traverse une rue, assez rapidement. Je me souvenais d'où je venais, de mes principes et de mes valeurs. Je ne voulais pas servir de pion pour engraisser le système. Je ne crois pas au travail, c'est une forme d'esclavage moderne. J'ai lu du Richard Marx à ce propos, un auteur particulièrement dur pour le capitalisme.

Et je savais bien qu'un jour je rejoindrais les rangs du crime organisé. Pour le moment, c'était amusant de me promener en camion avec Reynald, d'attendre ma première paye et de charrier des animaux morts.

Il fallait aussi s'occuper des animaux vivants. Même si on finissait par tuer la majorité de ceux qu'on ramenait. Il y a tellement de bêtes abandonnées. Et aucune loi pour condamner les irresponsables qui les jettent à la rue au premier déménagement. Ça démontre la nullité de notre système de justice. On mobilise toute une machine pour punir des voleurs qui essaient seulement de survivre, mais on ne fait rien contre les salauds qui abandonnent la vie au bord du chemin.

Les gens veulent pas mal faire, le jeune.

Justement ! C'est pire ! Au moins, quand on pose un geste en assumant que c'est mal, c'est déjà bien. Rien de pire que la veulerie du petit monde pas foutu de se regarder dans le miroir.

T'as du ressentiment en banque, toi. Les choses sont pas toujours tranchées au couteau, tu sais. Tu vas voir ce que je veux dire dans cinq minutes.

J'ai argumenté encore. Jusqu'à ce qu'on se gare devant un immeuble d'une douzaine de logements dans le Centre-Sud, un quartier de pauvres. Reynald a ricané, puis m'a tendu un pot d'onguent à l'échinacée. *Mets-toi un brin de ça sous le nez, le jeune. Tu vas voir que ça sent pas le bonheur, dans cet appartement-là.* J'ai refusé, soutenant que j'avais les nerfs solides et que je n'acceptais jamais d'onguent de la part d'un homme. Il a souri en me répétant que j'étais bizarre.

Mme Picard est légèrement fêlée. C'est pas une mauvaise femme, mais elle doit prendre des médicaments qu'elle oublie souvent. Après quelques jours, elle se met à collectionner les chats. Elle ramasse tous les chats errants du quartier et capture même ceux avec des médailles. J'ai souligné mon intérêt d'un hochement de tête.

Heureux de son effet, Reynald a repris. *Ça risque de nous occuper tout l'avant-midi. Là, elle est déjà repartie relaxer en psychiatrie. Nous autres, faut sortir tous les chats de là, s'assurer qu'il y en a pas de cachés, les enfermer dans des cages et ramener tout ça au quartier général.* J'ai approuvé d'un autre signe de tête tout en me félicitant d'avoir gobé deux pilules avant de me rendre au travail. Ça s'annonçait plutôt pénible, comme programme.

L'ammoniac m'a grimpé jusqu'au fond des narines dès que le concierge nous a ouvert la porte. J'ai fait un pas de recul et j'ai buté contre la rampe. Reynald a ressorti l'onguent de sa poche, mais j'ai refusé, encore. Je suis un homme fier. Le concierge s'est couvert le nez, nous a souhaité bonne chance puis a refermé derrière lui. La pisse et la merde de chat couvraient presque tout le tapis du salon et le carrelage de la cuisine. La porte de la chambre était fermée. Des chats faméliques venaient vers nous, miaulant à fendre l'âme, d'autres se planquaient sous les meubles. On a déposé les quatre cages.

La dernière fois, on en a trouvé treize. Ça sentait moins fort que ça pis c'était en pleine canicule. D'après moi, on va battre son record. Reynald se frottait les mains, déjà repu d'un sens du devoir qui m'échappait.

Munis de nos gants nous remontant jusqu'aux coudes, on a rempli les premières cages et effectué le premier puis le deuxième voyage. On avait notre douzaine, on devait décharger le camion avant de revenir.

Pauvre femme, a marmonné Reynald. *Pauvre folle*, ai-je pensé. La folie, c'est un peu comme l'homosexualité, tu la refuses ou tu la laisses s'installer. Personne n'est condamné à être autre chose que ce qu'il désire. *Tout n'est qu'une question de volonté*, aurait dit Socrate, un philosophe.

En arrivant pour le troisième voyage, j'ai indiqué à Reynald que je m'occupais de la chambre à coucher, qu'il pouvait terminer l'inspection du salon et de la cuisine. Porte et fenêtres étant fermées, l'odeur y avait encore plus fermenté. Je me suis couvert le nez et la bouche, en vain. La pestilence s'infiltrait de partout, pénétrait par les pores de ma peau. J'ai eu envie de vomir puis de céder à l'onguent de Reynald, mais j'ai réussi à surmonter ces faiblesses. Socrate aurait été fier.

J'ai trouvé les deux premiers chats morts. Un caramel, roulé en boule au pied du lit, puis un gris pâle blotti contre une commode. Je me suis dépêché de fouiller ce meuble, qui ne recelait rien d'intéressant. Les tables de chevet y sont passées illico. J'ai empoché quelques bijoux d'une autre époque. En plus d'être folle, elle était vieille, la Picard. Je devrais revendre sa pacotille au poids. Je me dirigeais vers le bureau quand j'ai entendu miauler sous le lit. Je me suis penché et j'ai vu deux autres félins maigrichons. Je me suis empressé d'explorer le bureau, pour rien. En revenant du salon, où j'avais récupéré deux sacs et deux cages, j'ai remarqué qu'un des chats avait grimpé sur le lit défait.

Je me suis approché doucement, les bras tendus vers lui. Il devait être parent avec le caramel trépassé.

Il est resté calme, mais dès que je l'ai attrapé, il s'est mis à se débattre, à griffer et à se cambrer. La rigidité des gants m'empêchait d'avoir une bonne prise. Il s'est libéré et m'a grimpé le bras jusqu'à l'épaule. Avant que j'aie pu le saisir, il m'avait griffé le cou. Dans la seconde qui a suivi, j'avais brisé le sien.

Je suis revenu au salon avec une cage et les sacs. *Finalement, il y en avait trois de morts. Je vais reprendre un sac.*

Reynald, accroupi devant le divan, les deux genoux dans la pisse, a acquiescé.

Les vieux bijoux avaient de la valeur, finalement. Leur vente m'a permis de quitter le centre d'hébergement et de me louer une chambre, à six rues de la demeure de ma mère. Je me responsabilisais, rétablissais même un certain équilibre dans mes finances. Après l'achat d'une trentaine d'amphétamines pour la semaine, de trois sacs de cigarettes indiennes et d'une bouteille de Jack, il me restait une petite somme pour manger. J'étais presque installé. Mes blessures au visage guérissaient. Je me rapprochais de la date fatidique des retrouvailles. Seulement à y penser, j'avais les mains moites et le cœur au galop, chaque fois. Je devais me caresser pour me calmer.

Je me laissais encore deux semaines de délai. J'aurais le temps d'empocher ma première paye et d'acheter un vrai beau bouquet de fleurs rares. Je crois à l'astrologie et aux présages. J'irais la rencontrer le jour même de son anniversaire. Elle serait encore plus émue et cette rencontre aurait encore plus de signification pour nous deux. D'ici là, je continuerais à la visiter tous les soirs, pour l'apprivoiser et apprendre à la connaître.

Ma nouvelle chambre était au sous-sol, comme toujours. Humide et sombre, comme d'habitude. Mais c'était ma chambre à moi. Je la payais et l'habitais. Surtout, l'accès y était indépendant de la maison et j'y étais seul, pour l'instant. L'autre chambre à louer étant vacante, j'avais, dans les faits, deux chambres, une cuisinette et un petit salon à ma seule disposition. Un véritable pacha maître de son royaume. Je m'y suis installé à mon aise. J'ai décrété qu'il était temps de me renflouer sérieusement par un cambriolage en bonne et due forme.

Maman était seule. Elle parlait au téléphone en regardant un épisode de *CSI Miami*. J'avais hâte de goûter à son spaghetti. Elle l'avait fait gratiner au four et devait souffler entre chaque bouchée tant il était chaud. J'imaginais que l'on s'assoirait en tête à tête lors des premiers repas. On avait trop de choses à se raconter. Mais je ne lui raconterais pas tout, pas tout de suite. Après quelques semaines, je m'installerais à côté d'elle pour écouter la télévision en famille. Maman devrait m'expliquer les intrigues, car je ne suis pas un adepte des séries. J'apprendrais.

Je la trouvais attristée. J'espérais que l'homme barbu, probablement mon père, ne l'avait pas blessée avec une autre femme. Je me suis rassuré à la pensée d'un accrochage au travail ou je ne sais quoi d'inconséquent.

J'étais accroupi depuis près de trois heures. J'aime bien les soirées télé, mais sans le son, quand on ne voit qu'un coin de l'écran et qu'on est replié sur soi, ça épuise. Ankylosé, des fourmis plein les jambes, je me suis dégourdi en sautillant deux minutes, puis j'ai entrepris de cambrioler sa voisine.

Depuis le temps que je campais à la fenêtre de maman, j'avais eu le temps de faire du repérage aux alentours. De l'autre côté de la haie de cèdres où je me dissimulais pour apprivoiser ma mère s'élançait un autre triplex, beige et brun aussi. Tous les soirs de la semaine à vingt et une heures quarante-cinq, les lumières du deuxième s'éteignaient, et une jeune femme, début trentaine, dévalait les escaliers et partait sur les chapeaux de roues. En retard pour le travail. Elle devait avoir un chiffre de nuit dans une usine. Ou elle se prostituait pour une agence. Cette idée m'a excité.

Précise comme une horloge belge, elle a quitté son appartement à l'heure prévue. J'ai laissé ma mère à sa télévision, lui murmurant quelques paroles bienveil-lantes, lui souhaitant qu'un dieu la protège. Je suis très chrétien.

J'ai monté les escaliers en véritable ninja, faisant à peine craquer les marches, je me suis recroquevillé contre la porte et j'ai entrepris de trafiquer la serrure. C'est moins simple que dans les films. D'ailleurs, cette serrure, en particulier, était impossible à crocheter. Je n'allais pas faire de chichis. J'ai éclaté la fenêtre d'un bon coup de tournevis et j'ai attendu la réaction du voisinage. Rien, comme d'habitude. Individualisme et cocooning, les bénédictions du cambrioleur moderne.

Après une courte attente, j'ai plongé le bras à l'intérieur, atteint le loquet et me suis invité au chaud. C'était un bel appartement, bien rangé. J'aime les personnes propres. Il y avait des biscuits sur le four, dans un plat de verre. Au chocolat. Délicieux. J'allais quitter la cuisine pour explorer les autres pièces quand j'ai réalisé que la fenêtre au-dessus de l'évier donnait sur celle du salon de ma mère. Je voyais même ses pieds, le tapis, une partie de la table basse et la télévision. J'en ai été ému. Je n'avais jamais revu les pieds nus de ma mère.

Il y avait un tout petit poste sur le comptoir. J'ai retrouvé rapidement la chaîne que maman écoutait. J'ai augmenté le volume et suivi l'intrigue d'un écran à l'autre. C'était une activité familiale. Le goût du sang m'a rempli la bouche. J'ai constaté que je me grugeais les ongles au sang, tant j'étais heureux de partager ce moment avec ma génitrice.

Au retour de la pause, l'enquêteur principal a réalisé qu'il s'était laissé berner par l'assassin. Ce dernier avait disséminé l'ADN d'une victime qui n'avait pas encore été trouvée sur les lieux d'un meurtre plus récent. La police avait tourné en rond durant des semaines. *Tant mieux pour eux, ha !* Mais l'enquêteur goguenard lui a tout de même mis la main au collet. *Dommage.* Maman a éteint dès le début du générique et est allée se coucher. J'ai repris un biscuit, puis j'ai filé vers la chambre en grignotant.

C'était trop propre. Pas de sous-vêtements usagés. J'ai empoché quelques dentelles et des bijoux. Je suis tombé sur un gros album de scrapbooking. C'était joli, très coloré avec des brillants et tout. Plein de photos de famille. La résidente des lieux était sensuelle, son visage émacié faisait ressortir ses lèvres charnues. Il y avait des photographies d'un mariage ou d'un bal vers la fin. Sa robe mauve et moulante fixait mon regard.

Au salon, je n'ai trouvé que des films de répertoire. J'étais déçu. Je les ai pris quand même, c'est important, la culture. Les films d'auteur, c'est chiant, mais c'est pratique pour le vocabulaire. Comme les grands classiques. J'ai ramassé une belle édition de *La Comédie humaine*, d'ailleurs. Les deux premiers volumes, je n'allais pas tout me taper non plus.

À ce moment-là, j'ignorais qu'une longue sentence m'attendait. Je vais me taper tout Balzac et Harry Potter aussi, en dedans.

En attendant, il ne fallait pas m'éterniser dans cet appartement. Ne me restait qu'à espérer que les bijoux avaient de la valeur. J'ai pris un dernier biscuit, pour la route.

10

L'implication

Reynald était de grande humeur ce matin-là. Il me confiait toute sa fierté d'être nommé responsable de l'équipe de bénévoles du Dr Héroux. Il m'a informé que ledit docteur était un souverainiste bien en vue, possiblement ministrable. Cette perspective l'excitait au plus haut point, ses marmonnements habituels laissaient place à des envolées lyriques sur l'avenir du pays à faire. J'acquiesçais et surenchérissais même, pour m'attirer ses bonnes grâces.

Il faut libérer le Québec au plus vite.

Oui, le jeune, il y a longtemps que ça devrait être fait.

Tu as bien raison, mon Reynald ! Décrochons notre pays de l'aberration canadienne, reprenons la lutte. Nous vaincrons !

Reynald se trémoussait sur son siège tant il se régalait. Dans les faits, je le trouvais ridicule, comme tous les souverainistes. Un peu pathétique et complètement irréaliste, aussi. On n'a pas de raisons de quitter le Canada. C'est un beau pays, le Canada. En plus, on est un petit paquet de perdants parlant français sur le bord de l'océan. Si on n'avait pas les Anglais pour faire rouler l'économie et parler la langue des affaires, il y a longtemps qu'on se serait fait envahir. On n'a même pas d'armée. Un pays sans armée, c'est comme une femme sans seins, ça attire juste les problèmes. C'est documenté.

Reynald m'expliquait les enjeux de la guerre des pancartes et l'importance de mobiliser les électeurs par téléphone. *Tu votes, toi, au moins ?*

Bien sûr. Jamais je n'irai faire la file pour faire un X qui ne changera rien à rien. J'ai cité Coluche, pour le faire réagir. *Si la démocratie pouvait changer le monde, ça fait longtemps que les services secrets l'auraient supprimée.* Il a argué que Coluche n'avait jamais dit ça. Plutôt que de lui exposer sa bêtise, je l'ai relancé en lui rappelant que, malgré son beau projet de pays, son docteur serait bien plus utile dans un hôpital. Il m'a assuré que non et que c'est la société qui était malade. Pour une fois, on tombait d'accord. Restait à s'entendre sur le traitement. Il optait pour l'idéalisme, alors que je suis partisan de la saignée.

Reynald avait entamé un soliloque sur la corruption d'un autre parti lorsqu'on a reçu le premier appel. Il s'est renfrogné aussitôt. *Parlant de malade, on doit aller à l'usine à chiots de Durham.*

Tu connais ?

C'est la quatrième fois qu'on va dans ce village-là. C'est trop payant pour qu'ils mettent la clé dans la porte. Ils déménagent le stock, c'est tout.

J'opinai. *C'est peut-être leurs compétiteurs qui ont repris le marché. On voit ça souvent dans le milieu du trafic de drogue. Ça doit ressembler au trafic de chiens.*

Reynald grogna. *Des bouviers bernois, tu vas voir. Je suis sûr que c'est la même gang.*

Nous avons poursuivi la route en silence. Perdus dans nos pensées sur le trafic et la politique. Nous étions presque arrivés quand Reynald m'a demandé si j'avais une copine. *Non, j'en veux pas.*

Il m'a souri. *Moi non plus, tu sais.* Non, je ne savais pas, et je ne savais pas quoi répondre. J'imaginais qu'il avait vécu une rupture difficile.

La grange était située au bout d'un rang cahoteux. Le rang 11. On distinguait une grande maison blanche avec une bâtisse massive tout à côté. Pas de doute, peu importe le trafic, on s'enrichit. Il me faudrait trouver mon champ d'activité sous peu. Je sentais le dragon des affaires rugir dans mes tripes. En arrivant à proximité, j'ai vu les voitures de police. *Encore la police ?*

Oui, c'est sûr. C'est un crime grave de tenir ce genre de commerce, le jeune. On dirait que t'as un problème avec la police, toi ?

J'essayais de sourire, trahi par mes glandes sudoripares.

Non, non, j'ai pas de problème avec eux autres. Ils ont pas de problème avec moi non plus. Possible qu'il n'y ait pas eu de plaintes, après tout. Mais j'en doutais. Le vol de Nicole, les emprunts définitifs à la bibliothèque, les cambriolages et tout ce qui avait précédé devaient avoir laissé des traces.

Reynald s'est stationné à côté d'eux, faisant lever un petit nuage de poussière qui a incommodé les poulets. Bravo, Reynald ! Une policière est tout de suite venue vers nous. Son collègue interrogeait un couple de sexagénaires devant la grange. Après de brèves présentations, elle a entrepris de nous expliquer la gravité de la situation. Il nous faudrait appeler du renfort d'une autre ville. On dénombrait une quinzaine de cadavres mais, surtout, près de trente chiots en piteux état. Reynald a maugréé, sacré un peu et décidé qu'on était en mesure de gérer la situation. On ne ferait pas appel à une autre Société protectrice des animaux. Notre unité était suffisante. J'ai appris l'existence d'une banque de noms de familles prêtes à accueillir et à soigner des animaux blessés. Ça me révoltait. Franchement, des familles d'accueil pour les chiens alors qu'on en manque pour les humains. Pire, celles où on parque les enfants sont démunies ou dangereuses. J'aurais mieux fait de naître bouvier bernois.

Reynald avait vu juste, en partie. On comptait une majorité de bouviers, mais aussi des labradors. Les cadavres de bouviers se manipulaient mieux, on pouvait les agripper par les poils. J'ai rempli les sacs pendant que Reynald donnait les premiers soins aux plus éprouvés. Bien que moins nobles, les chiens morts puent moins que les chats. On a réussi à les domestiquer jusqu'à l'odeur de leurs cadavres. Je m'identifie davantage aux chats, personnellement. Même après neuf mille ans de domestication, indépendants, ils conservent leurs instincts de prédateurs. Les chiens, c'est con comme tout. La langue toujours pendante, juste bon à rapporter une baballe ou un bâton. Non, moi, je suis un chat sauvage.

Je philosophais en ramassant les masses inertes pleines de mouches et de larves quand les caméras sont arrivées. Les salles de nouvelles entraînent des équipes tactiques, ma foi. Sans qu'on les ait vues venir, deux équipes différentes avaient envahi la grange et filmaient dans tous les coins, la policière à leur suite.

Ils nous filment, Reynald, ils nous filment ! Je marchais de côté pour éviter l'objectif de la caméra. Il ne fallait pas qu'on me voie. J'ai traîné un cadavre dans un coin pour leur tourner le dos tout en ayant l'air occupé.

Calme-toi, le jeune, c'est parfait. Il faut attendrir la population, ça nous fait des dons. En plus, ça rappelle aux enfants de chienne qui font tourner des usines à chiots qu'on finit toujours par les retrouver. Veux-tu faire une entrevue ? Je n'ai pas deviné qu'il blaguait, j'ai presque crié. *Non !* Il a rigolé. *T'es bizarre, le jeune, t'es bizarre…*

Au premier voyage de retour, la conversation s'est entamée autour des conditions de la route puis a dévié sur les bris de véhicules. Pour la première fois, il me partageait sa passion des vieilles voitures, qu'il retapait et revendait. Il aimait la désuétude. La souveraineté et les vieilles voitures ! Il manquait de lustre, le Reynald. Suivant la tradition, j'ai fait mine de le trouver fort intéressant, posé quelques questions sans écouter les réponses. Il m'a confié avoir fait trop d'acquisitions dernièrement. Il devrait rapidement revendre un véhicule ou deux.

Tu serais intéressé ?

À t'acheter une voiture de collection ?

C'est pas toutes des voitures de collection, tu sais.

Oui, oui, ça m'intéresserait. Ma dernière voiture m'a lâché juste avant que je vienne travailler pour vous autres. Par contre, j'ai encore un paquet de paiements à faire, je veux aussi investir dans un gros projet prochainement. Tu crois que je pourrais te faire des paiements ?

Pas de problème, de toute façon, je sais où te trouver ! Ha ha !

Tu ne me trouveras pas longtemps, mon petit trapu. C'était un véritable cadeau du ciel. Me faire avancer un char que je pouvais payer cent piastres par paye. Et j'avais l'intention de rester pour une paye ou deux au maximum. Ça ne me revenait pas cher du bolide.

Dynasty Chrysler 92, brune et beige. Une voiture de collection, finalement. On aurait juré un véhicule de rappeur gangsta du Bronx, mieux, de Brooklyn ! Pour les ignares, c'était juste un gros char brun. Je ne pourrais en vouloir à ces incultes dépourvus de toute notion de la culture hip-hop, le mouvement artistique le plus abouti du dernier siècle, peut-être même de toute l'histoire de l'humanité. Moi, je savais qu'un gros char brun et beige avec des jantes chromées, c'était classe.

J'étais fier. Ma première voiture. Décidément, je devenais un homme, un vrai. Il y a un rituel dans l'acquisition du premier véhicule chez l'homme. Comme les menstruations chez la femme, ça souligne que l'on devient adulte et c'est valorisant. On veut le faire savoir. Je me promenais à la face du monde, me pavanant dans ma voiture, le volume de la radio au fond. Je le baissais quand la chanson était moins appropriée. Daniel Bélanger, ça ne fait pas assez gangsta. Je roulais lentement pour bien marquer mon passage. Je dois avouer que je n'avais jamais suivi de cours ni beaucoup conduit auparavant. J'apprenais sur le tas, comme d'habitude.

Un matin de grand soleil et de courtes jupes, je roulais autour des polyvalentes, à la recherche d'une nymphette à impressionner. Je faisais aussi un peu de repérage pour des cambriolages. Je retenais les maisons dont les cours arrière donnaient sur des boisés. Je repérais les résidences plus isolées. J'ai même noté quelques commerces que je pourrais braquer. Je ne l'avais jamais fait, encore. Ça me semblait la suite logique. Arrêter de me faire chier avec des bijoux et des consoles à revendre et prendre directement l'argent. Je n'allais pas me faire couper mon élan par des enculés à bâton chaque fois. Je réfléchissais ainsi, bien calé dans mon banc rembourré, me faisant masser le dos par mes petites boules de bois. J'étais le roi de la ville. Ça m'ouvrait l'appétit.

C'est merveilleux de pouvoir errer et vaquer à ses occupations sans jamais sortir de sa voiture. C'est ça, le rêve américain. C'est de ça que rêvait Kennedy avant de se faire exploser la tête. La liberté de manger n'importe quoi n'importe où. Je dévorais mes frites à même le sac, observant le va-et-vient du stationnement. Je laissais tourner le moteur. Il faut toujours être prêt à décamper. En plus, ça démontrait que je n'avais pas de soucis financiers. Ça peut suffire à impressionner une femme.

J'en ai repéré une qui sortait de la station-service. Je roulais vers elle quand deux ados l'ont abordée. Je me suis garé en vitesse et, abandonnant mon repas, j'ai sauté hors du véhicule.

Ces jeunes vous dérangent, mademoiselle ? Elle était moins belle de proche, mais je m'en contenterais. C'était une vieille, quarante ans, au moins. J'ai souligné le *mademoiselle*, sachant que je marquais des points en la rajeunissant. Les femmes sont prêtes à tout pour s'amputer de quelques années.

Non, non, ça va. Mais je ne peux pas les aider. Au revoir.

Attendez, mademoiselle, je vous raccompagne ! J'ai foudroyé les jeunes du regard et j'ai marché à côté de la dame jusqu'à sa voiture. *Je vous ai remarquée de loin, vous savez, vous brillez plus que le soleil.*

Hmm, OK… merci, bonne journée. En moins de deux, elle s'était réfugiée dans sa voiture. Frigide, la vieille. Je suis retourné vers les jeunes, par curiosité et par défi. La journée manquait de piquant et les amphétamines décuplaient mon sens de l'initiative.

Heille, les gars, qu'est-ce que vous lui vouliez, à la poule, là ? Le plus élancé des deux m'a montré un billet de dix dollars et m'a expliqué en zézayant qu'ils désiraient un paquet de Peter Zackson, que je serais bien cool de l'acheter pour eux. J'ai accepté, profitant de l'air conditionné en faisant la file. Devant moi, deux costauds en bleus de travail discutaient de politique municipale. J'ai eu une pensée pour le pauvre Reynald et son rêve de pays. Arrivé à la caisse, j'ai choisi des Craven A, ma marque préférée, plus deux billets de loterie.

Je suis passé devant les pubères sans les regarder. Ils se sont levés aussitôt, m'ont interpellé. *Heille ! Heille… as-tu nos clopes ?*

Oui, oui, attends, je vais chercher quelque chose dans ma voiture. Ils m'ont collé aux talons. Je suis monté dans ma voiture, leur ai fait signe de patienter une minute. Ils sont restés plantés là, mystifiés. J'ai démarré et quitté le stationnement. Dans le rétroviseur, je les ai vus, alarmés, agitant frénétiquement les bras.

Je me suis allumé une cigarette, j'ai avalé deux frites froides et savouré le rêve américain. Ça goûtait fort.

Reynald était marabout. La journée allait être longue. Il fallait retourner à l'usine à chiots de Durham. La police avait obtenu que toutes les cages soient définitivement confisquées. Évidemment, l'application du mandat nous revenait puisque nous conserverions tout l'équipement susceptible d'être réutilisé. Reynald m'a expliqué que ça faisait partie d'un programme destiné à dédommager les victimes aux frais des criminels. Le ton dénigrant envers ces derniers m'a blessé.

On entretient plein de préjugés envers les criminels. C'est n'importe quoi, tous envient nos vies palpitantes. La moitié des films et des livres nous concernent. Toute une industrie prospère autour des séries télé-visées sur nous. C'est hypocrite de nous juger, ensuite. Sans compter que les criminels sont probablement les plus grands justiciers. C'est vrai. La majorité, voire la totalité des criminels ont eux-mêmes été victimes d'in-justices ou de sévices. Ils redistribuent. Ils reprennent leur part. Il faudrait le reconnaître, au moins.

Reynald a coupé court à mon exposé, m'assurant que la société s'écroulerait si on commençait à res-pecter les criminels. On n'avait même pas le temps de leur offrir notre salive aujourd'hui. Le travail était pénible, il faisait chaud dans la grange ; d'un accord tacite, on a adopté le même rythme. Lent. Très lent. On a étiré nos pauses et pris près de deux heures pour dîner dans un village voisin. Si bien qu'on n'avait pas terminé en fin de journée. Il restait des cages vissées aux murs ou au sol ainsi que des poches de moulée périmée à transporter. On n'aurait pas le temps de faire d'autres allers-retours. Reynald a sacré en annonçant la fin de la journée. J'ai volé une scie à métaux, en partant. Pour la forme.

Le lendemain, plutôt que de retourner à l'usine à chiots, j'ai pris une journée de congé pour espionner

ma mère. Il était temps d'investir sa vie professionnelle. Elle devait être gardienne d'enfants ou infirmière ou caissière. Quelque chose de noble. C'est
excitant, l'inconnu. J'avais tout à découvrir, alors
j'étais très excité.

J'avais encore abusé, la veille, et n'avais dormi que
deux heures. J'étais habitué à quatre. Mes bronches
bien chargées crachaient muqueuses et sang en abondance. Même avec toute la pression que le robinet
pouvait fournir, ça restait collé à la porcelaine de
l'évier. J'en ai profité pour appeler au boulot, la voix
enrouée à souhait. J'ai laissé un long message sur le
répondeur. J'insistais pour qu'on salue Reynald et lui
précise bien que j'étais désolé. Je me suis dépêché de
déjeuner, une tranche de pain blanc avec du beurre
et deux amphétamines avec du lait au chocolat. C'est
bon pour la santé, il paraît, le lait.

Je suis arrivé juste à temps, c'était un signe. Je l'ai
observée sortir du triplex et s'installer dans sa voiture, une Yaris blanche, très féminine. Dès qu'elle est
sortie de l'entrée, je l'ai suivie. Je gardais une courte
distance entre nous, pour ne pas la perdre sans être
repéré. À six heures, il n'y avait pratiquement personne sur la route, mais je m'en sortais comme un pro,
tout de même. C'était ma première filature. On a roulé
une dizaine de minutes, puis on s'est garés devant un
restaurant spécialisé dans les petits-déjeuners et les
dîners. Un calembour avec le mot *œuf* figurait dans
le nom de l'établissement. C'était original.

J'ai craint qu'elle m'ait remarqué, car il n'y avait
que quatre voitures, incluant les nôtres. Elle a jeté

un bref regard dans ma direction avant de se diriger vers le restaurant au pas de course. Elle devait être en retard. Je me reconnaissais tellement là. Toujours à rêvasser et à réfléchir sur le monde, ne voyant pas le temps passer. Ah, maman, on allait bien s'entendre.

Je suis demeuré de longues minutes à tergiverser dans le stationnement. Que faire ? Je voulais la voir de près, lui parler même, si possible. Je craignais aussi qu'elle me reconnaisse, que nous ayons à vivre nos retrouvailles entre deux omelettes et un yogourt santé. Mon intelligence me jouait encore des tours, je sombrais dans l'abondance de scénarios et ça me paralysait. J'ai décidé d'aller réfléchir plus loin, de peur qu'elle m'observe de l'intérieur et se demande ce que j'attends pour venir à elle. Ce n'était pas le temps de me faire démasquer.

Deux rues plus loin, à l'ombre d'un grand chêne, je me suis dévisagé. Il fallait que je prenne l'habitude de dormir. Mes cernes étaient violacés et profonds. À force d'agiter ma mâchoire et de me mordre les lèvres, elles étaient gercées et rouges. J'avais la manie de gratter mes boutons d'acné. Ce tic me laissait de vilaines plaies et des crevasses dans la peau. Sans être problématique, ma consommation de drogue affectait mon faciès. Avec l'angle irrégulier de mon nez cassé, l'ensemble pourrait déplaire.

Ces considérations esthétiques me troublaient. La tristesse se mêlait à l'excitation de rencontrer ma mère. La fatigue devait être de la partie aussi, car je me suis mis à trembler. J'ai même eu des spasmes dans un mollet. Il fallait me détendre, me détendre, me détendre. Je me répétais cet ordre, compulsivement, quand la providence s'est manifestée. Je n'avais pas remarqué l'arrêt de bus à quelques mètres de moi. Une mère et sa fille s'y sont présentées.

La fillette devait avoir dix ou douze ans. Je n'en ai pas tenu compte, trop jeune. J'ai des valeurs et des principes, moi. Je me suis donc concentré sur la mère. Il lui arrivait de jeter des regards dans ma direction, sans soupçonner la manœuvre. Il faut dire que j'ai toute l'expérience de mon adolescence derrière la fermeture éclair. Elle était bien en chair, même boulotte, la mère. Je devinais les larges aréoles de ses mamelons. Je me visualisais sur elle, profitant de sa masse pour me balancer avec élan dans son corps offert.

J'ai gémi et me suis redressé. Il était temps d'aller bruncher.

11

L'altruisme

J'ai une admiration sans bornes pour les serveuses. Surtout les vieilles. Elles accomplissent un travail physique, presque sportif. Malgré les varices, les genoux usés et les crampes, elles passent des heures debout, à se démener pour servir des inconnus. Admirable, je le répète. C'est une vocation plus qu'une carrière. Il faut avoir des tripes au ventre pour sacrifier sa santé au service des autres. J'étais fier de ma mère.

Je l'observais butiner d'une table à l'autre, les mains pleines d'assiettes chaudes. Maman trouvait la force de sourire en plein labeur. C'est bien nous, ça, la force de caractère. Je demeurais près de la pancarte dorée m'intimant d'attendre qu'on m'assigne une place. Mon tour est enfin arrivé. J'attendais ma mère, mais est apparue Monique avec son petit rictus niais. Je l'ai détestée aussitôt. *Veuillez me suivre.*

Je n'avais pas le choix. J'aurais éveillé les soupçons en demandant une autre serveuse ou en exigeant d'être installé dans une autre section. J'ai suivi la montagne nommée Monique et j'ai pris place, à regret. Je me suis consolé à la lecture des calembours avec le mot *œuf* dans le menu. Vraiment, ils s'étaient donnés, les restaurateurs.

Je n'y étais pas pour manger, mais il me faudrait faire un effort. Les amphétamines éveillent les sens, aiguisent la libido et mènent à de nouveaux niveaux de conscience, mais elles coupent l'appétit. On ne peut pas tout avoir. J'étais musclé mais maigre. Un repas par jour me suffisait. Et j'avais déjà mangé du pain. Je savais que toute nourriture me roulerait dans la bouche.

L'hésitation est la perte de l'homme. Je me cite, mais je crois que ça rejoint la pensée de Platon et de Gilgamesh. Dans la pratique, ça mettait une franche pression sur mes incertitudes. Je n'avais envie de rien, même si tout avait l'air délicieux. Monique était de retour, pour la quatrième fois. J'en étais à mon troisième café, avec deux sucres et une crème. Le temps s'échappait.

Oui, oui, je sais ce que je vais prendre. Reste là, ce sera pas long. Encore une seconde, je le sais. OK, je me décide, là. J'ai choisi le spécial du travailleur, ça m'allait bien. J'étais un travailleur. Monique a repris le chemin des cuisines, me laissant contempler ses énormes mollets porteurs de sa masse considérable depuis tant de décennies.

Ma mère était plus svelte. Elle affichait un petit ventre mais était mince des bras, tout de même. Pour une femme ayant eu des enfants, c'était bien. Ses collations du soir et sa passion pour les séries télé auraient pu l'enrober davantage. Elle portait les cheveux courts, relevés au niveau de la nuque, châtains avec quelques mèches blondes. Très classe. C'était la meilleure serveuse du restaurant, sans contredit. Elle marchait plus vite, prenait les commandes dès que les clients fermaient les menus et ne se désarmait jamais de son sourire. Elle était belle, ma mère.

Monique a déposé l'amas fumant de protéines sur la table. Des fèves au lard, des patates, des cretons, des œufs brouillés et des saucisses. Des saucisses de quoi ? Allez savoir ! Tous les animaux ont été créés pour qu'on les mange, c'est dans la Bible et c'est documenté. On est trop hypocrites pour manger nos chats et nos chiens, mais ça se mangerait, comme le reste. On devrait nourrir les pauvres avec tous les animaux domestiques qu'on assassine à la SPA. La boucle serait bouclée, ce sont leurs propres bêtes qu'ils abandonnent entre deux déménagements. Mais on manque de couilles quand vient le temps d'avoir de la suite dans les idées.

En attendant, je devais m'attaquer à mon assiette du travailleur. Je peinais à mâcher et à déglutir. Même les petits fruits décoratifs me restaient collés au palais. Mes réflexions sur l'alimentation ne m'aidaient pas à finir mon assiette. Monique venait vérifier que tout allait bien toutes les cinq minutes. Je sirotais mon sixième café. L'impression que ma mère m'observait s'est confirmée quand je l'ai surprise en grande discussion avec Monique, près du comptoir d'accueil. Toutes deux se sont tournées vers moi au même moment. Je me suis redressé et j'ai tenté de sourire malgré ma mâchoire crispée. Se pouvait-il qu'elle m'ait reconnu ? Elle devait demander à Monique si je lui avais révélé mon prénom. C'était possible. Tout est possible, c'est écrit dans *Le Secret*. J'ai vu le film. Trois fois.

J'ai avalé deux bouchées d'œufs brouillés. Je suivais les allers-retours de ma mère entre les cuisines et la salle à manger. J'en ai décelé l'algorithme, me suis levé juste au bon moment pour l'intercepter au retour. *Pardonnez-moi, madame ?* Elle me trouverait poli.

Oui ?

Pourriez-vous m'indiquer la direction que je dois prendre pour me rendre aux toilettes, s'il vous plaît ? J'avais bien mijoté ma question, je n'ai pas hésité sur un seul mot.

C'est juste devant, à droite. Elle est repartie aussitôt. Les plats qu'elle portait pesaient lourd.

Merci, madame ! Sur ces mots destinés à la rattraper dans son élan, j'ai presque titubé jusqu'aux toilettes. Je m'y suis enfermé. Assis sur le trône, j'ai tenté de reprendre mon souffle. La fatigue et le stress me rattrapaient. J'ai senti un point de douleur au cœur et j'ai cru que j'allais m'évanouir. Mais j'étais heureux. La glace était cassée. C'était bien elle, maman ! Je m'étais reconnu dans ses yeux bruns.

Je ne voulais pas m'éterniser au restaurant. Ma mission était accomplie et j'y étais depuis deux heures, déjà. Plutôt que de retourner à ma table, je me suis dirigé directement à la caisse. Monique m'y a rejoint et m'a remis l'addition, une dizaine de dollars. Je lui ai tendu un billet de vingt et lui ai fait un clin d'œil. *Vous pouvez tout garder.* Comme prévu, elle a été surprise et m'a remercié amplement. Elle en parlerait sûrement à ma mère. Maman serait honorée de ma générosité.

J'ai repris la route, épuisé et satisfait de ma journée. Je ne rêvais plus que d'un matelas et, surtout, d'une douche. Le volume de la radio à fond, les fenêtres ouvertes, je suis rentré à la maison en duo avec Vigneault. *Chante-la ta chanson, la chanson de ton cœur, la chanson de ta vie, la la la.*

Je me suis réveillé à vingt et une heures passées, endolori. On aurait dit que j'avais couru un marathon avec Monique sur mes épaules. Le stress et la fatigue m'avaient tordu le corps. Je suis resté allongé et j'ai allumé ma cigarette d'éveil. Je me suis remémoré toutes les images de ma mère au travail. Je me demandais quelle bonne impression je lui avais faite. Je prévoyais, lorsque notre relation serait enfin rétablie, d'occuper toujours la même table de ce restaurant en souvenir de notre premier contact. Pour une fois, j'avais faim.

Je me suis rhabillé en sifflotant, j'ai roulé un joint pour la route et suis parti vers l'épicerie, à pied. Une petite marche de santé pour replacer mes membres éprouvés. J'ai décidé de m'acheter un macaroni à la viande, deux litres de lait au chocolat et une tartelette aux pacanes en guise de dessert. Un festin. Le caissier a souligné que j'avais bonne mine. Il devait être gai, mais ça m'a fait plaisir quand même.

Je ne me suis pas laissé démonter par la propriétaire désireuse d'être payée pour la semaine. Je l'ai assurée qu'elle aurait le montant de la semaine et de la prochaine aussi dès que je toucherais ma paye. J'ai haussé le ton. Jouer au prolétaire m'allait bien.

Oui, mais tu vas l'avoir quand, ta fameuse paye, hein ?

Demain. *La semaine prochaine.*

Quand la semaine prochaine ?

Jeudi. *Vendredi. J'aurai tout vendredi prochain.*

C'est la dernière fois que je te fais crédit, compris ?

Tu vas te l'enfoncer, ton loyer. *Oui, merci beaucoup !*

J'ai engouffré mon repas, captivé par un reportage sur la Première Guerre mondiale à la télé, puis je suis retourné me coucher, blotti contre le mur, mon oreiller dans les bras. Je n'avais pas si bien dormi depuis des années, sinon des siècles.

Je tenais la première paye de ma vie, peut-être la dernière. Bouffi d'orgueil, j'étais ridicule. Déjà, le chèque n'était pas à mon véritable nom, mais, en plus, le montant de cette semaine de travail atteignait à peine ce que je pouvais tirer d'un ou deux cambriolages. Et je devais en remettre une partie à Reynald pour la voiture. Une somme qu'il m'a réclamée dans l'heure.

On peut arrêter à la caisse, c'est sur notre chemin. Il faisait affaire avec les caisses populaires, en plus, le vieux patriote. À une époque, elles avaient une sensibilité humaniste, mais c'était révolu depuis longtemps. Elles étaient maintenant aussi rapaces et corrompues que les autres banques. C'est documenté.

Non, je fais affaire avec les banques, moi.

On va arrêter à ta banque d'abord, même s'il faut faire un détour. Je suis plutôt serré ces semaines-ci, j'ai besoin du paiement aujourd'hui. Comme on s'était entendus. Il articulait distinctement, soulignant l'importance des mots. L'argent est toujours important. C'est le nerf de la guerre, de la paix, de l'amour, de la vie et j'en passe. Même pour les idéalistes. Surtout, peut-être.

Oui, oui, pas de trouble. Mais on va aller au Instachèques plutôt, j'ai des problèmes avec la banque depuis mon vol d'identité. Je n'envisageais aucune autre option pour encaisser cet argent. Sinon, il me faudrait endosser le chèque et trouver un pigeon.

Reynald a pris la direction du centre-ville en me racontant la stratégie de son parti politique pour faire sortir le vote des jeunes. Il était bipolaire, cet homme-là. Dès qu'il parlait de politique ou de voitures, il s'allumait, devenait volubile, mais pour tous les autres sujets de conversation, il se renfrognait et marmonnait. Je lui ai confirmé la justesse de son idée de mobiliser de jeunes militants du cégep. Je doute de l'existence de collégiens vraiment politisés, mais ça m'amusait de l'alimenter dans son délire. *C'est l'avenir du monde, la jeunesse !* Je brandissais le poing pour appuyer le propos.

N'importe quoi. L'avenir, c'est l'heure qui vient, papi. À la vitesse où on pollue, la jeunesse a l'avenir qu'on va lui laisser. Et ton projet de pays n'y changera rien. On est à une autre échelle. Le monde est entre les mains des multinationales. Les gouvernements n'y peuvent rien, au contraire. Seuls les écoterroristes peuvent encore faire fleurir l'espoir. Mais ils se font rares.

À quoi tu penses, le jeune ?

Je pourrais assassiner un auteur à succès. Ce serait un moyen efficace de préserver une forêt ou deux. Mais non, je suis aussi égocentrique que tout le monde. Chacun pour sa gueule. Quand je tuerai, ce sera personnel. Je ne suis pas meilleur qu'un autre.

Tu veux pas le savoir.

Quoi ?

Ce que j'ai en tête, tu veux pas le savoir. Je défiais Reynald du regard.

Oui, oui, je te jure. Je suis un homme curieux. Dis-moi à quoi tu penses, le jeune.

On va prendre les armes, se réorganiser, kidnapper des gros noms et faire un pays, enfin ! On va le faire de force ! On se fera plus voler de votes, plus jamais de référendum trafiqué. T'es partant, mon Reynald ? Il souriait jaune, le bleu. Je l'ai laissé douter, soutenant son regard.

Non, non, ça peut pas fonctionner comme ça. Il faut convaincre les citoyens, faut faire le pays ensemble. Pauvre rêveur, il n'y a rien qui se fait ensemble. C'est un contre l'autre, à toutes les échelles.

Je le sais bien, je niaisais. Et j'ai rigolé, pour le rassurer. *Avec un beau projet comme ça, pas besoin de l'imposer par la force, notre pays…* On aurait pu se couper une tranche de malaise.

La caissière de l'Insta-chèques chipotait un peu. Ma paye était signée, mais je n'avais que mon faux diplôme et une vieille fausse carte comme pièce d'identité. Il lui fallait un document avec photo. Je l'ai rassurée de mes plus beaux sourires, lui proposant de faire les photos en séance privée. Elle a fait une photocopie de mon diplôme et a contacté l'employeur, *c'est la procédure.*

Procède, ma belle, procède. J'ai pris mon argent, grassement amputé par ses bons soins, et j'ai retrouvé Reynald.

Je lui ai tendu les cent dollars à contrecœur, toute une somme quand même, cent dollars. Vingt-cinq amphétamines ou trois caisses de vingt-quatre ou douze paquets de cigarettes ou dix danses. Ça m'a arraché le cœur.

Il ne m'a même pas remercié, l'ingrat. On a repris la route vers Stoke en silence. Presque. Il écoutait du country, c'est tout comme.

Ce n'est pas innocent que l'argent soit en papier, il brûle les doigts plus efficacement. Je n'arrivais jamais à économiser, même quelques heures. C'était la première fois de ma vie que je me retrouvais avec un tel montant mérité en poche, plusieurs centaines de dollars, sans pouvoir le dépenser. La journée m'a paru interminable. On a cheminé de quartier en quartier pour remettre des dépliants sur l'importance d'affubler les animaux de médailles. Il ne me restait qu'une demi-amphétamine dans le corps, prise à l'aube. Rien en poche. En début d'après-midi, j'ai dû combattre l'idée de planter Reynald sur place et de regagner la ville à pied.

L'argent est la mère de tous les vices, c'est une sagesse millénaire. Les hypocrites qui affirment que ce n'est pas la chose la plus importante pour eux en ont juste assez pour faire semblant. Ce sont des résignés, des gagne-petit. Peu importe la devise, peu importe l'endroit sur la planète, on se vend, on se tue, on se prostitue et on accepte d'abandonner son corps, sa force et son temps pour de l'argent. Je ne suis peut-être pas meilleur que les autres, mais je suis plus conscient et ne me laisse pas noyer dans l'hypocrisie générale. Le temps, les amis et les amours passent, l'argent reste. J'en avais plein les poches et je voulais en profiter.

À chaque retour au camion, je devinais Reynald qui me dévisageait du coin de l'œil. Je restais concentré, taciturne même. *Je te sens nerveux, aujourd'hui.*

Tu me sens mal, tout est correct. Je ne voulais pas me lancer dans une conversation. Une part de moi lui en voulait d'avoir estropié mes finances. Et je commençais à en avoir assez de travailler. Je voulais rentrer en ville, jouir du fruit de mon labeur.

Tu diras ce que tu voudras, j'ai fait un certificat en psychologie avant de me recycler. J'ai une certaine formation, je suis convaincu que tu es préoccupé. Tout ton corps le dit. Je le vois dans ton attitude aussi. Ça s'appelle le langage non verbal.

Je me suis ressaisi et l'ai rassuré. *J'ai des problèmes familiaux, c'est rien. Je suis loin d'eux. Ça m'inquiète, c'est tout.*

La satisfaction a illuminé son visage. Il était persuadé d'être un fin psychologue, le Reynald. Quel connard. Il pouvait se torcher avec ses études.

Si tu as besoin d'en parler, je suis là. Il m'a mis la main sur l'épaule. Je lui ai enfoncé un couteau dans la gorge puis l'ai fait tourner dans la plaie. Dans ma tête.

Merci, c'est gentil.

On apprenait à se connaître. Sur le chemin du retour, Reynald rayonnait autant qu'il m'énervait. Il était repu de son soutien à mon égard. On fait les dents de notre altruisme sur le collier du chien d'à côté. C'était donc un passionné du Québec, des voitures et de l'intervention bidon. Moi, je voulais aller gober des amphétamines, jouer aux machines et faire danser une pute.

L'argent brûle les doigts et l'espoir. Deux heures après mon arrivée au bar, je n'avais plus que trente piastres en poche. J'avais eu la bonne idée de me renflouer en pilules pour la semaine, et la machine à sous avalait les dollars qui me restaient. J'hésitais à y engouffrer mes dernières économies. Je regrettais d'avoir joué si gros, si vite, mais il fallait aller jusqu'au bout. Mon expérience des machines ne pouvait me tromper. Elle allait payer. Plusieurs fois, j'étais passé à un fruit de la cagnotte. Ce n'était pas le temps d'abandonner.

Debby est venue appuyer ses proéminences mammaires contre la machine. Quelle débile! Ça porte malchance. Ma pensée s'épanchait en un flot d'injures à son endroit, mais je n'ai même pas relevé la tête, espérant qu'elle capterait le message et irait se faire voir ailleurs. Impossible, elle avait vu que j'étais nanti. Et j'étais un des rares clients dans la place. Les bars de danseuses sont peu fréquentés dans le coin, les jours de semaine, en fin d'après-midi.

Si tu gagnes un beau motton, tu vas me faire danser, beubé ?

Comme t'auras jamais dansé ! Je croyais que cet engagement allait la faire décoller vers d'autres pigeons, mais elle continuait de se dandiner les prothèses devant l'écran.

Je vais m'occuper de ton motton, moi, tu vas voir. Elle sentait le besoin d'en remettre une couche, la conne. J'avais perdu le rythme et le fil des mises. Je ne pourrais reprendre mon calcul de l'algorithme et faire recracher ma paye à la machine. J'ai dû respirer pour ne pas exploser. Je n'avais qu'une envie, accrocher Debby par sa tignasse de blondasse et lui fracasser le crâne contre l'écran jusqu'à faire éclater l'appareil et me servir. J'ai joué mon dernier dollar, que j'ai perdu aussitôt, évidemment.

Debby bougeait efficacement, écrasait mon sexe sous ses fesses bombées puis m'enfonçait ses seins dans la bouche. Elle goûtait le parfum à la lavande chimique. Elle m'a coincé la tête entre ses implants généreux. Je me suis fait la réflexion qu'il serait plaisant d'être une tête de gland, à ce moment-là. J'ai voulu partager la blague, mais elle n'avait pas les moyens de comprendre mon humour. Elle a profité de la conversation pour faire l'état des comptes. *La chanson achève, mon beau, t'es déjà rendu à quatre danses, est-ce que je continue ?*

Vas-y, beauté, j'en veux pour mon argent. Je l'ai retournée et l'ai fait asseoir à nouveau sur mon sexe, espérant qu'elle garderait la pose assez longtemps pour me soulager. La pièce terminée, elle m'a assuré brûler d'un désir ardent de danser encore pour moi, mais il fallait la rémunérer maintenant. *Tu me fais pas confiance, Debby ?*

Oui, mon chou, je te fais confiance, mais à partir de cinquante bidous, on paye, c'est la règle. Cinquante dollars pour quinze minutes, les danseuses sont des êtres chers. Elle oscillait entre son rôle de pute amourachée et son air sévère de femme d'affaires.

La comédie avait assez duré. J'ai fait mine de chercher dans mes poches. *Le reste de mon cash est dans le char. Je reviens tout de suite.*

No fucking way, tu restes icitte ! L'ambiance avait changé, tout d'un coup. Debby n'oscillait plus du tout.

Pas de panique, je vais juste à mon char pis je reviens te faire danser encore, tu vas voir, je suis loin d'être cassé. Elle m'a planté ses yeux bruns ornés de verres de contact censés les transformer en bleu azur dans le regard. *Tu bouges pas de la loge, je reviens !*

Je lui ai emboîté le pas dès qu'elle a mis le pied hors du cubicule. Elle est allée directement vers le videur, un beau gros rat de gym, adepte de créatine et autres stimulants musculaires. À mon grand bonheur, il était au bar en train de discuter avec la serveuse. Une certaine distance. J'ai couru vers la sortie. Il a décollé au même moment, sans même connaître les griefs de Debby. Son instinct lui dictait qu'un client quittant les lieux en courant devait avoir quelque chose à se reprocher.

J'ai dévalé les escaliers et plongé vers mon salut. J'ai entendu la porte battre contre le mur, juste derrière moi. Je n'aurais pas le temps de traverser la rue et de prendre ma voiture. J'ai décidé de poursuivre ma course derrière l'immeuble mais l'ai regretté aussitôt : je m'isolais. Il n'aurait pas osé me tabasser en pleine rue. Trop tard, j'entendais ses pas me talonnant. La brute ne s'était pas entraîné que les biceps et les pectoraux. Il m'a rattrapé et m'a étendu au sol d'un puissant coup de poing sur la nuque. Je me suis affalé sur l'asphalte en me retournant pour encaisser les coups de face. *Pas les côtes, pas les côtes. MMMPFF !* Les côtes.

Il s'est montré généreux dans la distribution et m'a couvert presque tout le corps. Il m'a fait les poches, a pris mes cigarettes, mon briquet ainsi qu'une fausse carte d'identité. La danseuse escroquée l'a rejoint et m'a insulté sans ménagement. En m'empoignant par les cheveux, il m'a informé que je devais revenir rembourser Debby avant minuit en plus de leur allonger cent dollars chacun pour le dérangement. Il a désigné la carte d'identité avec un large sourire. Il allait la garder en garantie. Si je ne revenais pas payer ce soir, il me rendrait visite avec des amis et des armes.

Je lui ai promis que je repasserais le soir même pour acquitter ma dette. Quel con, trop bête pour remarquer que l'adresse indiquait une rue de Sainte-Foy.

J'avais l'intention de rester étendu quelques minutes, d'évaluer les dégâts puis de rentrer récupérer à la maison pour la nuit. J'allais me relever quand on est revenu vers moi. Il n'allait pas me taper de nouveau, merde ! J'ai redressé la tête. Deux policiers. Grosse journée.

Pourquoi tu refuses de porter plainte ? On va établir un interdit de contact entre lui et toi. C'est peut-être même la meilleure façon d'assurer ta sécurité. Il va savoir qu'on l'a à l'œil. T'es pas le premier qu'il bat, ce gorille-là.

J'ai hoché poliment la tête et laissé le sergent Émond poursuivre son boniment. Il a argumenté en tous sens pour me convaincre de porter plainte contre le videur, au moins de l'identifier formellement. *On a reçu l'appel d'un résident du centre-ville. Il a tout vu, on sait que c'est ce gars-là qui t'a passé dessus. Peux-tu au moins corroborer cette information-là ?*

Non. Je suis désolé. J'allais juste pisser quand on m'a sauté dessus, par-derrière. J'ai rien vu, monsieur l'agent. Je m'en tenais à ma version, mordicus. Avec les cochons, il n'y a qu'une approche possible : nier en bloc. Tout, tout le temps. C'est aux avocats de débroussailler les incohérences et d'invalider les preuves.

T'aurais pu pisser dans le bar, on sait que t'étais là.

Non, j'étais pas là.

Tu y étais.

Non, monsieur.

L'ambiance se réchauffait. Le sergent Émond a cogné des deux poings sur la table d'interrogatoire et m'a enligné par-dessus ses petites lunettes stylisées. Tout aussi musclé que mon agresseur, il affichait un avant-bras couvert de tatouages. J'étais impressionné.

Tu m'impressionnes pas, monsieur l'agent.

Ostie ! Je sais pas t'es qui ni à quoi tu joues, mais c'est une mauvaise idée.

Quoi ?

Quoi quoi ?

La mauvaise idée, c'est quoi ?

C'est de jouer avec mes nerfs, calvaire ! Bouge pas, je vais voir si on a pu confirmer ton identité. Je reviens !

J'étais vraiment fier de moi, je menais l'interrogatoire comme un véritable affranchi. J'étais en sueur, je tremblais, mais j'assurais quand même. Nier en bloc et protéger mon identité, c'étaient mes lignes de conduite. Je ne pouvais pas me permettre de collaborer avec des policiers. *You talk and you're done*, dirait Mesrine. Tout se sait. Ils font des rapports en plus, les cons. Ils consignent tout par écrit. Si je voulais conserver mes chances d'intégrer la mafia ou un gang réputé, rien ne devait entacher mon dossier.

Je crois avoir été cuisiné en bonne et due forme. Ils m'ont même laissé mijoter. Plus d'une heure à poireauter dans la salle d'interrogatoire. Je me félicitais d'avoir laissé les pilules et la fumette dans ma voiture.

Les chiens de l'État fouillent même les victimes, maintenant : ils m'ont fait enlever mes bas et m'ont passé un doigt sous l'élastique du caleçon. Elle est belle, la justice !

J'ai gratté le sang séché qui m'emplissait les narines et l'oreille. Le portier m'avait arraché un bout du lobe, le barbare. Bon, pas véritablement arraché, mais déchiré. Me doutant bien qu'on m'observait de l'autre côté du miroir sans tain, je faisais le bilan des lieux. Les lieux étant mon corps. C'étaient des blessures superficielles. À peine de quoi laisser des cicatrices. Ça m'allait bien, les cicatrices. Ça me donnait un genre. Le hic, c'est qu'il m'avait pété les côtes à nouveau, du même côté que l'équipe de baseball de Saint-Agapit. Je devrais dormir sur la gauche pendant quelques semaines encore. J'avais une cheville amochée aussi. J'avais déjà une démarche de gangster, mais là, je boiterais carrément.

OK, le comique. On a rejoint un employé de la SPA qui confirme ton nom et on nous a faxé ton diplôme. Par contre, on a aucune photographie pour valider. Ça fait qu'on va en prendre une. J'ai l'impression qu'on va se revoir. Je vais la garder en souvenir.

Si c'est le traitement qu'on réserve aux victimes à Sherbrooke, je serai heureux de me faire arrêter dans une autre ville. Quoique, idéalement, je ne me ferais pas arrêter du tout. *C'est clair qu'on va le revoir, on va même l'avoir à l'œil.* Le collègue appuyé contre le cadre de porte avait les bras croisés pour faire saillir ses muscles. Les bœufs doivent avoir un programme d'entraînement, à Sherbrooke. Je le trouvais pathétique, très personnage de mauvais film. Ça ne sert à rien, les muscles. Il faut frapper en premier, en traître, et c'est tout. Je suis bien placé pour le savoir.

Faites ça vite, si possible. J'aurais dû refuser ou demander à contacter un avocat de l'aide juridique. J'étais trop fatigué, j'avais trop mal et trop envie d'une cigarette. Et d'un joint. Et d'un speed. Et de huit bières.

Arrête de loucher.

Je louche pas. Certains génies du crime arrivent à poser pour une dizaine de portraits d'identification différents sans jamais se ressembler. J'étais mal parti.

On va pas passer la soirée à attendre que t'aies fini ton numéro de clown. Arrête de loucher ou je vais attendre que tu restes pogné de même. La photo va être fiable d'une manière ou d'une autre. Sa remarque a fait un grand effet sur son collègue. Celui-ci se bidonnait en se tâtant les biceps. Très Burt Reynolds.

J'ai cessé ma diversion, les ai laissés me tirer le portrait et j'ai quitté le poste de police. On m'a informé qu'ils avaient l'obligation de me reconduire, si je le désirais, mais j'ai refusé. J'ai décidé de marcher, lentement, jusqu'au centre-ville. On avait déjà perdu trop de temps ensemble. Ça aurait été con qu'ils me ramènent à ma voiture pour découvrir que je roulais sans permis.

12
La patience

J'étais moins magané que par les deux Agapitois au bâton mais tout de même amoché et, surtout, peu présentable. Un œil au beurre noir à droite et une belle plaque décharnée à l'arcade gauche. Il m'avait râpé le visage sur l'asphalte, le sauvage. Il occuperait une belle place prioritaire sur ma liste de vengeance. Avec les bœufs arrogants que je venais de quitter.

Le retour traînait en longueur, comme ma patte que je devais ramener au prix d'efforts à chaque pas. Je n'avais rien à fumer, j'avais mal et j'étais seul. C'est dans ces moments qu'on aimerait être avec sa mère. Ou sa grand-mère. Ou une sœur ou une amie. Quelqu'un qui serait troublé par notre souffrance et nous soignerait. Quelqu'un.

Pour me faire pardonner ce nouveau contretemps dans nos retrouvailles, j'ai cueilli un bouquet de fleurs rouges et blanches dans un terre-plein de la ville. Je les ai attachées ensemble avec une tige de fougère et les ai déposées sur le seuil de la porte de ma mère.

J'imaginais son visage émerveillé quand elle découvrirait mon bel arrangement.

Je ne voulais pas dormir, je ne voulais pas rentrer, mais je ne pouvais pas errer dans la ville trop longtemps. Mes zigotos de service étaient peut-être toujours en patrouille. Je n'avais presque plus d'essence. Je buvais ma dernière canette volée en roulant dans le quartier. J'éprouvais un sentiment bizarre. Le monde était grand, trop. Trop de choses pouvaient m'arriver. Cette étendue des possibles qui m'aurait enivré en temps normal me déprimait ce soir-là.

Je ne parvenais pas à m'assoupir. Je vivais tellement de ressentiment que j'aurais dormi à poings fermés, prêts à frapper. Alors je me caressais violemment. Quand j'arrêtais, une boule me prenait à la gorge. Au matin, j'avais le pénis plus irrité que la face. Je devais quand même me présenter au travail. Je retrouverais Reynald, au moins, je pourrais parler. Après une longue douche, j'ai appliqué ma crème de zinc.

Bonne idée d'aller travailler. Ça m'a remonté le moral et le budget. On ne soupçonne pas tous les bienfaits d'un emploi, en dehors du revenu régulier. *Le travail, c'est la liberté*, affirmait Chaplin, un humoriste.

J'avais un comité d'accueil à mon arrivée. Les quatre employées se sont précipitées vers moi. Elles avaient l'habitude de m'ignorer ou de me saluer en vitesse, avec un léger air de mépris. Là, elles me bombardaient de questions, inclinaient la tête pour avoir de meilleurs angles de vue sur mes plaies. J'ai même senti de la sollicitude. Étonnant. Lors de mon embauche, j'étais déjà blessé, mais on avait fait peu de cas de mon état. J'imagine que la nouveauté suscite l'intérêt. On s'attachait à moi et on se souciait de ma santé, peut-être, aussi.

Je leur ai raconté toute l'histoire, dans les moindres détails. *Je me rendais faire mon bénévolat à l'Armée du salut, vous savez, sur la rue Wellington Sud…*

Oui, oui, elles savaient où c'était.

Comme je marchais vers l'organisme, j'ai entendu crier à l'aide. Une jeune femme, hispanique et rondelette, me faisait signe de la rejoindre derrière la bâtisse, car son fils était tombé et s'était blessé. Évidemment, j'y ai couru. Je leur ai d'ailleurs expliqué que j'étais dans l'obligation de porter secours à l'enfant puisque j'étais formé en premiers soins. *C'était mon devoir.* Elles ont toutes approuvé du même élan. C'était excitant de les voir pendues à mes lèvres.

J'ai repris mon récit, humant le mélange des parfums bon marché fraîchement déposés sur leurs nuques. Les femmes sentent fort, le matin. *Donc, j'avais à peine tourné le coin que trois colosses m'attendaient. Avec des bâtons. Trois grands Noirs.* Elles ont toutes acquiescé. Les Noirs, c'est crédible.

Avant de pouvoir esquiver un coup, il en pleuvait à la dizaine. Même la femme hispanique m'a roué de coups de pied. Ce dernier détail a fait son effet. Lucie, une vétérinaire, a mis sa main sur mon épaule, *vraiment courageux ce que t'as fait.* J'ai bombé le torse. On m'a fait remarquer que je devrais prendre congé et me reposer, que j'avais l'air épuisé. *Non, je suis capable de faire mon travail.* J'étais tout un homme.

Dès l'arrivée de Reynald, on a pris connaissance des tâches de la journée et le camion s'est ébranlé. Contrairement aux femmes, il n'a pas posé de questions, se contentant de me rappeler qu'il était présent si je désirais parler. Il a souligné ma vaillance de venir le rejoindre malgré mes blessures.

Même s'il ne m'interrogeait pas, je savais bien que sa curiosité était piquée à l'os. Je lui ai raconté mon histoire à nouveau, insistant sur la forte poitrine de la femme hispanique et la brutalité des Afro-Américains. Mon histoire se peaufinait à mesure que je la reconstruisais. Reynald lâchait de petites onomatopées émues aux moments croustillants du récit, et il ne m'a interrompu qu'une fois rendus à destination. On devait récupérer les deux chats d'une vieille qui entrait en résidence.

C'est fou de voir autant de violence dans une belle ville de même. Je lui ai rappelé que la violence règne partout, jusque dans les villages les plus reculés. Même à Saint-Agapit!

On a pris chacun une cage. On a cogné à la porte à tour de rôle. On était sur le point de partir lorsqu'elle est venue nous répondre. J'ai dû faire un effort considérable pour retenir un éclat de rire. La femme était maquillée comme un manchot saoul tombé sur un paquet de crayons feutre. Du rouge à lèvres s'étendait jusqu'aux joues sur un visage blanchi à la poudre.

Batman y aurait reconnu son pire ennemi. Pauvre mamie, ses heures de beauté étaient loin derrière elle. Dans le même coin que sa dextérité.

Oh mon Dieu ! Figée sur le seuil de la porte, elle ne me lâchait plus des yeux. *Tu t'es regardée ?* Je n'ai pas osé donner vie à mes paroles, mais j'ai fait mine de m'impatienter en lorgnant Reynald.

Ce n'est rien, madame, il a eu un accident. Est-ce que nous pouvons entrer ? Nous sommes venus chercher vos petits chats.

Oh mon Dieu… Elle s'est tassée contre le montant de la porte pour nous laisser entrer, mais elle répétait sa litanie, me scrutant toujours le visage. Je crois qu'elle n'avait jamais vu un homme blessé, elle était plus épatée qu'un nez de Congolais.

Vous êtes seule, madame Gagné ? Elle n'a pas répondu à Reynald, qui m'a avisé que son fils devait être sur place. *Je vais rester avec vous pendant que mon collègue va chercher vos chats, d'accord ?* Bonne idée, mon Reynald, je vais chercher les chats, entre autres. *Vous savez où ils sont, vos chats, madame ?* Silence radio.

D'un signe de tête, j'ai indiqué que je partais en mission. Armé de la première cage, j'ai laissé mes interlocuteurs à la cuisine et j'ai boité vers le salon. J'appelais les bêtes en brassant une boîte de friandises, mais rien n'y faisait. Après de lentes et laborieuses contorsions, je suis arrivé à m'accroupir et en ai repéré un sous le buffet. Sur le buffet, je n'avais rien repéré d'intéressant. Plaquée contre le calorifère, la bestiole se croyait hors de portée. C'était oublier que la queue se rattache au corps. J'ai tiré le chat de là en une traction de bras. Il n'aurait pas dû se cramponner au tapis. Le coup lui a arraché une griffe et un feulement insupportable. Le cri du chat est très humain.

Ça va, dans le salon ?

J'ai rassuré Reynald. *Tout est sous contrôle, on a juste affaire à un minou susceptible.* La patte saignait autant que le chat geignait. Je l'ai saisi par la gueule et la lui ai gardée fermée quelques secondes, pour l'ambiance. Ce qui lui restait de griffes tentait de s'agripper aux gants, en vain. Je l'ai balancé au fond de la première cage et j'ai pris la seconde, résolu à poursuivre l'aventure.

Reynald employait sa douce voix de miel pour amadouer Mamie Maquillage. Je suis passé devant eux, leur ai souri de mes lèvres tuméfiées, effrayant mémé, et j'ai pénétré dans sa chambre. Coffre à bijoux à bâbord ! Je m'en suis approché sans attendre, mais il était fermé à clé. Depuis quand les mamies enferment leurs bijoux dans leurs propres maisons ? Le coffre était trop volumineux pour que je le dissimule et l'emporte en douce. Je n'arrivais à forcer ni la serrure ni le couvercle. Putain de bois noble ! Il me fallait trouver la clé, en silence. La cuisine était tout près.

J'en étais à la fouille des sous-vêtements quand j'ai entendu une porte s'ouvrir. J'ai sursauté. C'était la porte d'entrée. *Maman, tu es là ?* Le fils, bien sûr.

J'ai refermé le tiroir en vitesse tandis que Reynald faisait connaissance. Le fils a expliqué qu'il apportait des boîtes pour entreposer les choses de sa mère, qu'elle souffrait d'Alzheimer et était de plus en plus désorientée. Tu m'étonnes, coco.

Je me suis présenté à mon tour, annonçant que j'allais chercher le chat dans la seconde chambre. Le fils m'a indiqué qu'il devait être au sous-sol, sa place de choix, et m'y a accompagné. On a trouvé le félin endormi sur un divan d'une autre époque. Tout noir, avec une tache blanche au bout de la queue. Il l'a cueilli d'une main, l'a flatté de l'autre puis l'a déposé dans la cage. Rapide coup d'œil. Non, rien d'intéressant au sous-sol. Je repartais les mains vides, mais fort de la promesse de revenir chercher le coffre le soir même.

Reynald a cru que le premier matou s'était blessé dans la cage. Il n'a pas posé de questions, tout attendri par la vieille qui avait voulu flatter ses chats à travers les grilles des cages. Elle chignait et ne voulait pas les laisser partir.

Reynald était bouleversé. Cette dame lui rappelait sa propre mère, très douce elle aussi. Déjà deux ans qu'elle l'avait quitté, après une longue maladie et de multiples hospitalisations. C'était pénible, mais je ne l'ai pas écouté jusqu'au bout. Reynald était au bord des larmes, juste au bord, mais il n'est pas tombé dedans. À mon grand soulagement.

J'ai profité du fait qu'il avait le cœur dans la guimauve pour lui rappeler ma raclée de la veille. Je l'ai rassuré, les conséquences physiques étaient tolérables. *Je suis fait fort*, comme disait Louis Cyr. Le problème venait surtout du vol de tout mon argent. Je n'avais même pas eu le temps de faire mon épicerie. Je n'avais plus rien dans le frigo ni dans les poches. Je pourrais peut-être retarder le paiement du loyer, mais je devais manger, *tu comprends Reynald ?*

Reynald était désolé, mais il ne m'a rien proposé. Je le trouvais gratteux, franchement. Puisque je n'arrivais pas à le mener à terme, j'ai dû faire l'offre moi-même. *Ce serait bien pratique de me remettre l'argent que je t'ai donné hier. Je pourrais te le rembourser à la prochaine paye, avec le prochain paiement.*

Il m'a remis les billets, sans sourire. Au moins, je pourrais vider mes petites bières de fin de journée avant de rendre visite au coffre de Mamie Maquillage. Il n'y avait pas à dire, Reynald, c'était un bon gars.

Les quiz de fin d'après-midi sont interchangeables. Toujours les mêmes simili-vedettes avec les mêmes coupes de cheveux et les mêmes sourires complices ponctuant leur faciès tout excité d'être là. Les animateurs taquins nous violent notre temps en faisant durer des suspenses bidon pour des prix de pacotille. Au bout de ma réflexion, après m'être tapé tout un jeu-questionnaire, j'ai éteint le téléviseur. Je me suis changé les idées à la main et j'ai ouvert ma cinquième canette. Je buvais vite. Trop, peut-être. Ça me rendait critique.

Une intense bouffée de chaleur m'a brûlé le visage. Et mon pâté chinois en portion individuelle emballé dans sa barquette d'aluminium qui n'était pas prêt. Je m'étais cramé la face pour rien. Je sentais l'impatience et le vide des grands jours qui voulaient s'installer. Je devais bouger. L'humidité de ce sous-sol me grugeait. Les élancements aux côtes et au nez me grugeaient. La soif de mordre le monde me grugeait. Et moi, je grugeais mon frein.

J'ai avalé la bouillie de pâté chinois à petites bouchées tièdes. J'ai mis les gants, le tournevis et les trois canettes qui me restaient au fond du sac et je suis parti à l'aventure, à la bibliothèque municipale. Il faut bien passer le temps, quand il passe de travers.

Je me suis installé au poste informatique numéro sept, mon chiffre chanceux. De chaque côté, des immigrantes en recherche d'emploi. Des Gonzalez, à première vue. Pauvres femmes, commencez par vous inventer un curriculum vitæ. Ou faites comme les autres, allez faire le ménage chez les bourgeois, vous pourrez vous servir dans la coutellerie. Ou mieux encore, restez chez vous et faites des enfants. Il paraît qu'à partir du troisième, ça devient payant. Je ne manquais pas d'idées, j'aurais pu être conseiller d'orientation.

Marie-Josée n'avait pas lésiné sur la quantité de courriels de menaces et d'insultes. J'en ai parcouru quelques-uns, amusé par son sens de la formule. *Je vai te saigné et te bouré le corps de chlor.* Savoureux. *Je vai t'anculé avec un batton de verre briser.* Original. *Je vai te botté la tette a cous de talon pour chak cenne que ta volé a ma tante.* Projet sportif, inspirant. Et la meilleure : *Je vai t'enfoncé ta petite queu sale dans le fon de la gorge a cous de sifon sal de centre dachat.* C'était vraiment n'importe quoi, je n'ai pas une petite queue.

Quelle désolation que l'état du français dans le milieu des barmaids et autres toxicomanes. Il faudrait concevoir un programme, au gouvernement. Rappeler quelques règles de grammaire sur les paquets de cigarettes, par exemple. De toute façon, les dents pourries et les photos de cancer ne découragent personne.

Sinon, toujours autant d'Ivoiriennes désiraient m'épouser, de même que plusieurs héritiers tenaient à partager leur magot avec moi, en euros. Il est grand temps que cette arnaque s'américanise. Je suis passé rapidement à mes messageries consacrées aux sites de rencontres.

Une quantité impressionnante de petites chattes esseulées s'ennuyaient à Sherbrooke. Il avait suffi de changer mon lieu de résidence à mon dernier passage pour rediriger tout un flot de femelles vers ma messagerie. Ce n'était pas ma véritable photographie, mais le mec me ressemblait, quand même. Si on se rendait à l'étape du rendez-vous, je leur expliquerais qu'avec la boxe et tout j'avais un peu changé. Les informations n'étaient pas à jour non plus mais, au fond, personne ne se révèle véritablement. Jamais.

J'ai relancé quelques perches aux moins moches, aux fortes poitrines et aux entreprenantes, proposant des rendez-vous la semaine même. J'étais dû, je me sentais tendu. Je me suis attardé aux photographies des dames dans l'espoir de déceler les seins authentiques sous les blouses et les camisoles. Je n'ai rien contre les fausses boules, au contraire, *bigger is better*, comme disait Lolo Ferrari, une femme épanouie. Ce qui me désole, ce sont les brassières rembourrées et autres subterfuges transformant des pectoraux faméliques en buste généreux. Ça me tue. Ça devrait même être illégal, sous peine d'implants.

J'en étais à ces réflexions quand j'ai reçu une réponse, une belle grosse truite blonde qui gigotait au bout de ma perche. Elle voulait discuter. Ah, la discussion, ce préliminaire des préliminaires. Oui, j'étais nouveau dans le coin. Oui, je cherchais l'amour, et non, je n'avais pas d'enfants. Oui, oui. Non, non.

Toi, tu es sérieuse dans ta démarche ? Je la sentais frétiller au bout de son clavier.

J'ai connu des relations difficiles, je cherche un amour sain et simple. Tu m'étonnes, cocotte.

C'est un signe, j'allais écrire la même chose. J'aimerais te rencontrer, tu m'inspires confiance, Mandy. C'est important d'appeler les femmes par leur prénom, elles se sentent uniques. Tu peux avoir couché avec la moitié de la ville, même être une vedette de la porno, tu as autant de chances qu'un autre si la fille se sent unique.

Tu es unique, Mandy.

T'es un peu vite en affaires.

J'ai perdu trop de temps à t'espérer. Vive les bières d'après-midi. J'avais la prose en feu !

LOL... Je pourrais me libérer vendredi... peut-être...

Et voilà ! Ne restait plus qu'à remonter la prise dans la chaloupe et à l'assommer. Je lui ai fixé rendez-vous le vendredi suivant à vingt et une heures, qu'elle ait bien le temps de mijoter dans sa journée, question de me taper un minimum de babillage. On allait se rejoindre au Bla-bla, resto-bar propice aux minouchages de mains entre autres stratégies propres à rassurer les dames.

J'avais eu le temps d'emballer cette jolie blondasse alors que mes deux Maria peinaient toujours sur leurs sites de recherche d'emploi, affichant des mines dignes de leurs ancêtres à la rencontre des conquistadors. J'ai presque eu envie de former une équipe avec elles dans le noble but de cambrioler une piaule ou deux. Pour les renflouer. Elles devaient bien avoir un petit Ernesto ou deux à nourrir, pauvres elles. Je me suis ravisé rapidement. *Ce sont les gens seuls qui font bien l'argent sale*, rappelait Sénèque. Je les ai laissées à leur misère et, ragaillardi par la possibilité d'une belle rencontre, j'ai décidé de m'arrêter aux toilettes. Je suis passé par la section Littérature québécoise. J'y avais repéré deux romans prometteurs de Nelly Arcan. J'en ai arraché les couvertures.

13
Le respect

La mobilité procurée par ma voiture compensait celle perdue à la marche. Il me fallait une éternité pour claudiquer jusqu'au carrosse, mais une fois assis, je pouvais profiter du gros moteur américain. Puissant et bruyant. Je prenais de l'assurance, conduisais de mieux en mieux, donc de plus en plus vite. Comme pour tout, ça s'apprend sur le tas.

J'ai achevé ma dernière canette de bière, toute tiède, et j'ai repris mon stationnement habituel, à deux rues du 1247 Prospect, l'écrin où brillait ma mère. Je me suis traîné péniblement vers mon poste d'observation. Maman lavait sa vaisselle. De la fenêtre d'où je l'épiais, j'avais vue sur l'ensemble du salon et une bonne partie de la cuisine. J'étais surpris de ne pas y voir le bouquet que je lui avais offert. Je me suis collé contre la fenêtre dans l'espoir de le trouver sur la table de la salle à manger. Mais non. Elle devait l'avoir conservé près d'elle, dans sa chambre. Il s'agissait d'un beau bouquet, bien touffu.

Le barbu était encore de la partie et s'attardait aux fesses de ma mère. Il pourrait la laisser travailler en paix, quand même. *La vaisselle ne se fera pas toute seule. Prends plutôt un linge sec et aide-la !* Télépathie, peut-être. Tout se peut. Il a suivi mes ordres et s'est exécuté. La tâche terminée, il a quitté l'appartement. Bon garçon !

On a repris nos habitudes et j'ai regardé, dans un coin d'écran, un épisode de série américaine avec maman. Elle grignotait des carottes avec sa trempette maison, ketchup et mayonnaise mélangés. Je me suis promis d'arrêter à l'épicerie voler les ingrédients pour goûter cette recette. Ça nous rapprocherait.

En plus de mes jambes ankylosées, il s'avérait pénible de maintenir la position accroupie avec ma cheville en purée. Je me relevais souvent. C'est sans doute ce qui a attiré son attention. Elle est venue à la fenêtre, d'un seul élan. Mon cœur s'est presque arraché de ma poitrine. Plaqué contre le mur extérieur, je voyais son ombre projetée dans la haie de cèdres. Elle me cherchait. Nous n'avions pas été aussi près l'un de l'autre depuis des années.

J'ai eu envie de me retourner et de lui faire face, mais maman risquait de hurler de surprise. Nos retrouvailles auraient été ratées. Dans l'amour, il faut savoir se retenir.

Je reprenais mes esprits en fumant cigarette sur cigarette. J'en tremblais encore, près d'une heure plus tard. C'est dire tout l'effet que ma mère exerce sur moi. J'ai roulé au hasard dans le but de me ressaisir pleinement. J'ai même pensé retarder le dépouillement de la vieille d'un jour ou deux, tellement j'étais troublé. Mais il ne faut jamais remettre au lendemain ce qu'on peut voler le soir même.

Mon inspection du jour m'avait amené à conclure que le sous-sol se révélait l'accès à privilégier. Les fenêtres étaient étroites, mais je suis svelte. Pas de chien ni de système de sécurité. Toute une maison protégée par un loquet de plastique, c'est pathétique. Quand j'aurai ma propre maison, je ferai installer un système d'alarme dès mon arrivée. J'en ferai installer un chez ma mère, aussi.

J'hésite toujours à utiliser ma lampe de poche, mais l'obscurité m'y obligeait. Tout était déjà emballé, des boîtes de carton jonchaient les quatre coins de la grande pièce. C'était le Noël du cambrioleur. J'ai ouvert quelques boîtes, n'ai rien trouvé digne d'intérêt. J'ai quand même pris une collection de timbres remplissant un grand cahier. Au contraire des gens, les vieilles choses prennent parfois de la valeur. Je suis monté à l'étage. J'étais revenu pour le coffre de bois. Tout ce qui se verrouille contient un trésor. Voilà pourquoi les femmes aiment les hommes mystérieux. Je suis très mystérieux.

J'espérais que le fils avait placé sa vieille et que la maison était vide. Un bruit sourd. Je suis resté paralysé une longue minute. Accroché à la rampe de l'escalier, j'écoutais ronfler. Ça tournait comme un moteur de Dynasty. Trop puissant pour une mamie. Le fils était dans la maison. Ça compliquait toute l'opération. Surtout avec ma purée de cheville : je ne pourrais redécoller en vitesse et m'échapper en cas d'ennui. Tant pis, qui ne risque rien n'a rien. C'est documenté. Si le rejeton avait la mauvaise idée de se réveiller, je le menacerais du tournevis. Et s'il avait la très mauvaise idée de m'attaquer, j'exécuterais ma menace et lui-même. Légitime défense. Ce sont les risques du métier.

Je suis passé devant la pièce que je n'avais pas pu inspecter. Les grondements en émanaient. La porte de la chambre de madame était entrouverte. J'y suis entré avec prudence. Je me suis dirigé vers le bureau et y ai retrouvé le coffre, objet de ma convoitise. Je l'ai saisi aussitôt. Me retournant, j'ai cru mourir. J'étais mort, même, c'était sûr.

La vieille me fixait. Deux grosses billes blanches plantées dans mes yeux. Assise en angle, adossée à trois ou quatre oreillers, elle me faisait face. Je me suis appuyé sur le bureau pour ne pas tomber à la renverse. Mille hypothèses m'ont traversé la tête comme autant de balles perdues. Elle allait crier. Je devais passer par la fenêtre de sa chambre. Je devais lui sauter dessus et l'empêcher de hurler. Le fils allait me reconnaître et courir chercher du secours. Et neuf cent quatre-vingt-seize autres pensées. Ce qui a duré un moment. Assez longtemps pour me rendre compte qu'elle ne clignait pas des yeux. Je me suis approché et j'ai agité la main devant son visage. Rien. Quel soulagement, elle était morte. J'ai repris mon souffle et pris la chaîne en or qu'elle avait au cou.

J'affrontais mon premier cadavre. Plus propre que le prochain. Je réfléchissais à la mort en la dévisageant. Je méditais sur les transformations que cela fait subir au corps avant de réaliser que je ne la reconnaissais pas car elle était démaquillée. Je lui ai fermé les yeux, puis les ai rouverts. J'ai vérifié si elle avait des dents en or puis l'ai laissée tranquille. *Rest in peace, madame.*

En repassant devant l'autre chambre, je me suis dit qu'il faudrait prévenir Ronfleur. L'idée m'a paru inconvenante et j'ai poursuivi ma route, petit coffre de bois sous le bras, bercé par le vacarme du sommeil du bon fils. Il venait d'économiser un déménagement.

Je me rappelle les anniversaires en centre fermé. Je recevais un cadeau orné d'un chou. Parfois, il y avait des spirales multicolores autour du chou, quand c'était une intervenante responsable des cadeaux. Les hommes ne s'encombrent pas de spirales multicolores. Une carte accompagnait aussi le cadeau. Les éducateurs y griffonnaient quelques mots porteurs de morale ou de renforcement positif. Passionné de lecture plus profonde, je me débarrassais rapidement de la carte pour déballer le cadeau, excité. Chaque fois, j'ai été déçu.

J'ai reçu des sous-vêtements, des montres, même des étuis à crayons. Que des choses pratiques. Ce ne sont pas des cadeaux, ça ! Les cadeaux, c'est le luxe, l'inattendu, le flafla. Ça ne sert à rien, un cadeau qui sert à quelque chose.

Mamie Maquillage était folle depuis un bon moment. Assez longtemps pour bourrer son petit coffre de bois de cochonneries. S'y entassaient des photos de famille, des clés, un mouchoir de soie et des mouchoirs de papier, utilisés. Le pactole rêvé de tout bon cambrioleur, quoi. Même le coffre ne valait plus rien, j'avais dû l'éventrer à coups de tournevis pour découvrir ce trésor. Dépité, je me disais qu'une montre ou des sous-vêtements auraient été les bienvenus.

La soirée n'était pas perdue. Mon arrêt à la bibliothèque sauvait la mise. J'avais un rendez-vous avec Mandy et un portrait de Nelly Arcan en corset. Je m'endormis tard. Ou tôt, c'est selon.

T'as encore l'air fatigué, le jeune. Veux-tu bien me dire ce que tu fais de tes nuits ?

Et toi, t'as l'air d'un vieux trapu désespéré, veux-tu bien me dire ce que tu fais de ta vie ? J'ai gardé cette réponse pour moi. Je gère bien mon impulsivité. Je lui ai plutôt expliqué que je dormais mal, à cause de mes multiples blessures. Pour faire bonne mesure, j'ai ajouté un court gémissement en me tenant les côtes.

Regarde-moi ça, le beau travail bien fait. Je ne saisissais pas ce qu'il voulait me montrer en désignant le ciel. Était-il créationniste en plus de tout le reste ?

Devant mon incrédulité, il a fait marche arrière et m'a présenté son candidat-vedette sous la forme d'une pancarte d'un vieux grisonnant sur fond bleu, avec le logo du Parti québécois. Reynald s'est vanté du fait que son équipe de bénévoles et lui-même en avaient posé plus d'une centaine la veille. On sentait que le nombre cent était crucial pour lui, c'était le nombre qui ferait la différence.

On est sûrs de gagner nos élections. Je ne comprenais pas comment il pouvait donner, pire, gaspiller son temps pour aider un homme à ravir un poste dans un gouvernement qui ne changerait rien à sa vie, à lui. À personne d'autre non plus, d'ailleurs. Il fallait qu'il ait du temps à perdre, le pauvre Reynald.

Il est ministrable, en plus. On le voit au ministère de l'Environnement. Pour ce que je comprenais de la politique, je constatais que ce ministère n'était qu'un appendice du ministère des Affaires et du Développement. On n'avait qu'à fermer les yeux sur les forages et autres détournements de rivières.

Et vos pancartes de plastique, avec la grosse face du ministre de l'Environnement, elles sont recyclables ? La fatigue me rendait acerbe.

Écoute, le jeune, elles doivent rester là un mois, on fera pas des pancartes en carton non plus, là. Son vif éclat de passionné du pays s'éteignait à peu de chose. Renfrogné, il ne quittait plus la route des yeux, laissant les pancartes défiler sans lui.

J'ai surenchéri, maladroitement. *Il faut imprimer sa face combien de fois pour aller chercher un vote ?*

Toi, ta face, on te l'a imprimée combien de fois ? Coup bas. Il l'a regretté tout de suite et s'en est excusé. Trop tard, j'ai joué la vierge offensée, en me tenant les côtes. On est fort des erreurs des autres.

La soirée s'annonçait aussi longue et pénible que la journée passée à bouder Reynald. Après l'épisode de ma mère à la fenêtre, je n'osais pas retourner la voir. En fin de soirée, il me faudrait bien aller faire une piaule. Il fallait compenser le coffre à mouchoirs de mémé, mais le cœur n'y était pas. Je buvais lentement, écrasais joints et cigarettes à mi-chemin. J'ai gobé un troisième speed, sans trop y croire.

Je me suis coupé le bras avec un couteau à steak. Je n'avais pas fait ça depuis l'adolescence. D'ailleurs, je tranchais dans les vieilles cicatrices. J'en avais plusieurs sur les avant-bras, le gauche surtout. Ce soir-là, je ne me suis mutilé que le biceps, pour éviter que ça paraisse au travail. Ça ne fait pas professionnel, la mutilation.

Je sais qu'il y a quelque chose d'anormal dans ce comportement, que c'est autodestructeur et tout le tintouin, mais c'est tellement efficace. Le malaise part plus vite qu'il est venu. Je contrôlais ma douleur, la profondeur et la longueur des coupures. Je n'étais soumis aux sévices de personne sinon les miens. Il n'y aurait pas autant de mal s'il ne faisait parfois du bien. Je goûtais mon sang du bout de la langue, à même la lame. C'était salé et chaud.

Trois heures à tourner et retourner en rond dans le sous-sol. Du joint à la console. Des toilettes aux revues. De la bouffe à la bière. Du couteau au joint. De la console au cachet au couteau et à la dernière bière. En début de soirée, j'étais défoncé, épuisé d'ennui, étendu sur le lit à attendre l'heure de passer à l'action.

Je me doutais bien que Ronfleur ne serait pas à la maison. Maintenant que sa mère était morte, il pourrait la pleurer quelques jours avant de reprendre sa routine. Tous les endeuillés que j'ai connus ne l'étaient pas assez à mon goût. Quand un proche meurt, il faut mourir aussi, un peu, au moins.

Je ne lis pas les revues de ménagères, mais je sais qu'on y parle de la famille, à toutes les sauces, entre deux recettes. Des sondages foisonnent sur le sujet. La famille doit figurer au top trois des valeurs personnelles, avec l'argent chez ceux qui sont honnêtes. La famille, ça paraît mieux, c'est une belle valeur. Les plus zélés font même tatouer des familles en bonhommes allumettes sur leurs véhicules. *C'est important, c'est ce que j'ai de plus précieux, je pourrais tout perdre sauf ma famille*, mon cul !

Les parents se séparent en série sans se préoccuper des enfants. Ça recompose des familles sans se soucier de la compatibilité des morceaux. Et les vieux, les ancêtres, on s'en balance aller-retour! On les parque dans des centres, comme les bébés d'ailleurs.

Et on n'est pas foutus d'étendre notre supposé amour de la famille à plus d'une génération, parfois deux. Si on se rend jusqu'aux grands-parents, c'est déjà bon. On ne connaît même pas les noms de nos arrière-grands-parents alors qu'on descend de centaines, voire de milliers de générations avant nous. On ne s'y intéresse pas. Les Vietnamiens font de petits autels aux ancêtres, mais là, ça relève plus de la décoration que de la filiation. Les amphétamines faisaient effet, finalement. J'avais l'esprit agité. La mâchoire aussi.

Je me suis fait le serment de remonter mon arbre généalogique jusqu'aux racines dès que je pourrais questionner ma mère. Je retrouverais les noms et toutes les photos disponibles de mes ancêtres et je dresserais un énorme arbre familial sur le mur de ma chambre, pour m'attacher à ma famille, qui ne me quitterait plus, jamais.

Au troisième passage devant la maison de feu mémé maquillée, je me suis stationné. Aucun signe de vie, tout était éteint, comme sa résidente. Je me répétais que je n'aurais pas dû y revenir, je mollissais.

Ronfleur était là pour sa mère, quand même. Ce n'était pas rien. Je me suis élancé avec les plus grandes enjambées que mon corps meurtri pouvait me permettre. Du courrier attendait déjà dans la boîte aux lettres. J'y ai ajouté les photographies, les clés et les mouchoirs de soie découverts dans le petit coffre.

Je m'étais permis de jeter les usagés.

Je me suis arrêté au dépanneur, le temps de piquer un demi-litre de rouge. C'était une soirée de bouette. Je n'aurais pas dû me couper. Je n'aurais pas dû prendre autant de speed. Je n'aurais pas dû aller chez la vieille. J'ai calé le vin et respiré par le nez, autant que possible.

Avec des *je n'aurais pas dû*, on ne ferait jamais rien. J'ai terminé la dernière gorgée, allumé un mégot et démarré. Je devais retrouver et reprendre mes esprits, en commençant par un cambriolage bien rentable.

14

L'introspection

Je devenais une vraie chochotte. C'est dangereux d'être émotif comme ça, pour un gangster comme moi. Planté au milieu de la chambre d'enfant, j'admirais la collection de toutous sur le lit. Des peluches vertes, rouges, bleues, mauves. Même roses. C'était un peu homosexuel, pour une chambre de garçon. Ses parents devaient être des intellectuels. C'est encore plus dangereux que les émotifs, les intellectuels.

Enfant, j'ai eu un toutou lapin. Je l'appelais *papa*. Les éducateurs trouvaient ça malsain, j'ai dû l'appeler *poupou*. Je l'appelais *papa* en cachette. Je l'ai perdu en bas âge, oublié entre deux transferts de famille, j'imagine.

Je me suis ressaisi et je suis retourné à l'inspection du salon. Une vieille chaîne stéréo. Des disques compacts. Plus personne n'utilise ça. Même les prêteurs sur gages ne les prennent plus. Des bibelots sans valeur. De l'alcool, au moins. De l'alcool de vieux, des rhums de voyage, de la tequila rose et de la crème de menthe. J'ai tout emporté. Il n'y a pas de petite alcoolémie.

J'ai ramassé le pot de monnaie, sous le sommier des parents. C'était lourd et ça me forçait à me déplacer en roi de la scoliose, tout tordu. Les côtes se réparaient moins vite que la première fois. De blessure en blessure, on ne se régénère pas au même rythme. J'ai déposé le pot de monnaie, que j'estimais à plus de cent dollars, et la première cargaison d'alcool sur la banquette arrière. Restait encore beaucoup de place dans le véhicule. J'ai décidé de retourner explorer. Il devait forcément y avoir des bijoux, peut-être des armes qui m'avaient échappé. C'était un beau bungalow en brique grise. Si je ne trouvais rien d'autre, ce serait une famille hypocrite s'affichant au-dessus de ses moyens.

Le pillage a repris. J'ai déniché quelques chaînes et bagues pour homme. J'ai d'ailleurs décidé de conserver une gourmette, que j'ai enfilée sur-le-champ. J'allais me résoudre à partir lorsque je me suis attardé à la chambre de l'enfant, encore. Il avait toute une collection, il ne remarquerait pas qu'il lui manquait un ourson. J'ai choisi le blanc au nœud papillon rouge. Je ne saurais dire pourquoi. Ce n'était pas pour moi, je crois. Mais je n'avais personne à qui l'offrir. Peut-être à ma mère, si elle aimait les oursons. Je l'ai installé à mes côtés, sur le siège du passager. Je l'ai attaché et j'ai décrété qu'il se nommait Copilote.

J'appréciais le cambriolage avec voiture. Plus de matériel peut être saisi et le départ est plus rapide. J'entrevoyais un monde de possibilités en filant sur l'autoroute. Je sifflotais la mélodie d'*Albator* en m'enfonçant dans la nuit.

C'était au tour de Reynald de me bouder. Il avait dû consulter un des journaux du jour. Les manchettes mettaient son vieux poulain ministrable en difficulté. Encore une magouille de corruption, une histoire de financement de campagne illégal. Tu m'étonnes! Ils le font tous. On est unis dans la veulerie. Il faut le tenir pour acquis et passer à autre chose. C'est comme la dope pour les coureurs cyclistes, comme l'amphétamine pour les camionneurs. *It's in the game*, pleurnichait Ben Johnson.

Le besoin de parler est souvent plus fort que celui de bouder. Le bouddhisme et la bouderie nécessitent un silence et une concentration peu accessibles au commun des mortels. Reynald était très commun et très mortel. *Ils n'ont même pas de preuves, ils font juste soulever la question, et déjà, on le condamne.* Il bouillait.

Ouais, t'as raison, Reynald, c'est injuste. Il était temps de se réconcilier.

Venez me dire que les journaux prennent pas parti, après ça. Ils prennent parti, ils prennent parti pour le Parti libéral! Reynald était en feu, j'avais peur qu'il se tourne vers moi. Le militant postillonnait au-delà de l'acceptable quand il s'enflammait. Il y en avait plein le tableau de bord.

T'as bien raison, Reynald. Y voir un complot journalistique m'apparaissait exagéré, mais il nous fallait ressouder nos liens. La calcification s'opérant sur des os brisés rend souvent cette partie de l'os plus solide. J'aurais bientôt des côtes plus solides que le roc. J'ai aussi conclu que la réunion avec ma mère ferait de nous une famille plus soudée, que les années de séparation n'enlèveraient rien, ajouteraient même à la puissance de notre relation. C'était un matin de grandes analogies.

T'es dans la lune, le jeune, tu penses à quoi ? Reynald m'observait, attentif. Je n'avais pas de projectile à craindre. Il attendait une réponse.

T'as raison, je suis souvent dans la lune, je me rends même jusqu'à Saturne parfois. On a ricané, j'ai le sens de l'autodérision, au besoin.

Alors, tu pensais à quoi, l'astronaute ? Il insistait, le vieux péquiste. Je me suis abstenu de lui faire part de mes réflexions médicales sur l'état de mon corps et de ma famille. J'ai plutôt dévié sur nos habitudes alimentaires que nous devrions changer.

On dîne toujours aux sandwichs de dépanneur. J'ai découvert un bon restaurant spécialisé dans les déjeuners et les dîners. On pourrait prendre le temps de se poser là, ce midi ? Il a accepté sans grande conviction. On irait manger au restaurant de maman. J'ai commencé à suer sur le coup.

Aucune file d'attente ce jour-là. C'était un signe. Ma mère est venue nous accueillir, suggérant qu'on la suive. Jusqu'au bout du monde, maman. J'ai laissé Reynald prendre place sur la banquette. Charité mal ordonnée et mauvaise décision. Ma petite chaise de bois offrait une vision moins panoramique de l'ensemble du restaurant. Il arrivait même que je perde ma mère de vue, et je sursautais lorsqu'elle se présentait à notre table. J'étais tellement heureux de la revoir que j'en suais et tremblais comme jamais. Reynald a mis ça sur le compte de mon quatrième allongé, me conseillant de réduire la quantité de caféine que je m'envoyais. Mon pauvre Reynald, si tu savais tout ce qui m'a traversé le corps. Je suis capable d'en prendre.

Je voulais manger une omelette au jambon avec un extra de petites patates. Allez savoir pourquoi, je n'arrivais pas à le prononcer. Ma mère était tellement belle et souriante que j'en perdais mes moyens, pourtant élevés. Je bégayais carrément. Au bout du troisième essai, j'ai dit *un spécial du travailleur !* sans hésiter. C'est fou, le cerveau.

Dès qu'elle est retournée vers les cuisines pour passer notre commande, Reynald s'est mis à me taquiner. *Tu les aimes vieilles, le jeune.* C'était de mauvais goût. Je lui ai fait remarquer que c'était une très belle femme, mais que je ne la désirais pas dans ce sens-là.

Dans quel sens alors ? Décidément, Reynald se plaçait en situation d'atterrissage sur ma liste noire des vengeances terribles. J'ai changé de sujet, l'ai amené à parler de voitures. On annonçait une exposition de voitures anciennes au parc Jacques-Cartier. Reynald ne possédait pas encore de véhicule assez prestigieux pour l'exposer, mais il économisait pour être de la prochaine édition. Des vieux qui se rappellent le bon vieux temps en se montrant des vieux chars. J'ai souligné mon intérêt à gros traits.

À ce moment de la journée, je n'avais qu'une demi-amphétamine dans le corps, alors l'appétit était plutôt bon. Le déjeuner aussi. Inondé de sirop d'érable, c'était meilleur encore. Maman l'a relevé, dévoilant qu'elle adorait le sirop d'érable aussi. J'en avais les larmes aux yeux. Évidemment que tu aimes ça ! J'avais mille répliques et encore plus de questions, mais je suis resté pantois sur ma chaise, le visage plus crispé que le cœur. C'est dire. Reynald a sauvé la mise, avançant l'hypothèse d'un complot impliquant les dentistes et les érablières du Québec. Ma mère l'a trouvé drôle, j'étais jaloux.

Au moment où nous partions, maman m'a demandé comment je m'étais blessé. C'était une vraie mère, ma mère. Je l'ai rassurée, bégayant que les marques au visage se résorbaient plus vite qu'il n'y paraissait. J'ai dû reconnaître que la cheville guérissait péniblement. *Oui, oui, je rereçois des des des soins.* Je l'aurais prise et serrée dans mes bras. À m'en recasser les côtes. Mais il fallait partir. Comme si de rien n'était.

Dans le camion, la tension a repris entre Reynald et moi. Il me trouvait bizarre de laisser vingt dollars de pourboire pour un déjeuner à dix piastres. J'ai rétorqué que le service était exceptionnel et que je faisais ce que je voulais de mon argent. Tout en bassesse, il a suggéré que je pouvais aussi lui en remettre sur ma dette, dans ce cas. La journée s'est poursuivie dans le silence de Rouge FM.

J'étais bien tendu ce soir-là. Les turbulences dans ma relation avec Reynald couplées avec la rencontre au restaurant avec ma mère s'ajoutaient au stress d'un premier rendez-vous. Je ne savais rien de Mandy, j'avais donc peu d'attentes, mais c'était quand même un amour possible. Et il n'était pas dit que j'arriverais à la baiser. Je ne connaissais pas les coutumes de la jeunesse estrienne. C'était déjà une grosse journée et la soirée s'annonçait dodue.

Mandy et ma mère occupaient toutes mes pensées, sous la douche. Je me suis lavé avec frénésie, soucieux d'être propre de partout. En me séchant les cheveux, j'ai cherché les traits de ma mère sur mon visage. Le sourire, peut-être. Et le cou, nous avons tous deux le cou fort élancé. Un signe de noblesse. Je n'ai pas lésiné sur le parfum, m'en répandant sur tout l'épiderme. Je me trouvais beau. Beau comme ma mère. Au souvenir de sa sollicitude devant mes blessures et de son immense sourire à mon départ du restaurant, j'ai décidé qu'il me fallait profiter de cette bonne conjoncture.

J'irais la rencontrer cette semaine.

L'attente avait assez duré.

Le cœur léger et la tête lourde de joie, je me suis rendu au Bla-bla. Je suis arrivé avec quelques minutes de retard bien calculé. Il est primordial de laisser mijoter les femmes. Il leur faut du scénario, de la résistance et du mystère pour leur ouvrir le cœur, et les cuisses au passage. Mandy portait la même robe noire que sur plusieurs photos du site. C'était tout à fait elle. Bon point, elle se révélait honnête.

J'ai pris place face à elle et savouré l'effet de surprise. Elle a paru dérangée, cherchant même de l'aide du regard. Je l'ai rassurée illico, c'était réellement moi. La dissemblance avec les photos s'expliquait par la boxe professionnelle que je pratiquais, l'angle et la lumière du cliché, mais c'était bien moi. *Déçue ?* Non, évidemment.

Je suis surtout surprise, vraiment, tu ne te ressembles pas.

L'important, c'est qu'on soit ensemble et qu'on partage un agréable moment. Toi, tu as de beaux traits, Mandy.

Ah. OK. Merci. Elle était timide. Les filles jouent à ça. Elles s'imaginent que c'est charmant. Dans tous les films de filles, l'héroïne est une ingénue maladroite. Ça te forge la personnalité, les films de filles.

J'ai entamé la conquête par la vieille stratégie éprouvée de l'intérêt. Je lui ai posé tout un paquet de questions sur son travail, sa vie, ses passions. Je ne tarissais plus.

Les chats ? J'adore les chats, j'en ai trois. Trois, c'est un bon chiffre, et ça rimait en plus.

Pendant que je ne l'écoutais pas me parler de ses chats, j'ai remarqué un tatouage sur son poignet droit, tout discret, en lettres cursives. J'en ai profité pour lui saisir la main, moite et froide. C'était bon signe, je lui faisais de l'effet. J'ai approché le poignet de mes yeux et lu en chuchotant : *Believe*. On était faits pour s'entendre, j'avais du rêve à revendre.

Au moment où j'ai évalué qu'elle se sentait unique, en évitant de trop reluquer ses seins, je lui ai parlé de moi. Je lui ai parlé de boxe, de gestion de placements, d'informatique. C'est à la spontanéité que l'on reconnaît les génies. Je lui ai raconté que j'avais inventé le terme *LOL*. Elle était dubitative, affirmant même que ça l'étonnait ou l'étonnerait, plutôt. Je lui ai raconté que lorsque j'étais programmeur chez Apple j'utilisais plein d'acronymes pour simplifier mes communications. J'étais reconnu pour cette manie dans le milieu de l'informatique.

Avec le temps, j'ai remarqué que LOL, laughing out loud, au cas où tu connaissais pas le sens premier, m'avait échappé. J'ai commencé à le retrouver partout sur le Net. Évidemment, j'ai pas pu toucher de droits d'auteur là-dessus, mais ça fait un gros velours d'avoir contribué au développement des communications informatiques. Elle m'a paru moins impressionnée que je l'avais espéré.

On en était à notre sixième consommation, deux pour elle, quatre contre moi. L'écart se creusait. Et encore, j'étirais le temps entre chaque gorgée. Je sais que les filles confondent souvent bon buveur et alcoolique. Tout le monde aime les bons buveurs. Les femmes n'aiment pas les alcooliques. J'ai attendu qu'elle termine, enfin, la dernière lampée de son bloody mary pour commander à nouveau.

Quand tu disais vouloir une relation sérieuse, c'était exclusif ? Je ne comprenais pas le sens de sa question.

Elle a précisé. *Moi, je cherche du sérieux, mais aussi du plaisir. Je crois pas que ça clique sérieusement entre nous. Mais si tu veux, on peut terminer la soirée ensemble, sans attentes pour la suite.* Wow, c'était une sainte! On monterait directement au septième ciel sans utiliser les vieilles clés rouillées de l'engagement. Je m'étais tapé tout le baratin pour rien. Je lui ai confirmé que sa perspective de relation me convenait parfaitement et j'ai insisté pour poursuivre la soirée chez elle. *La femme de ménage est en congé de maternité, c'est trop le bordel chez moi, mes chats ont leurs habitudes et tout et tout.*

J'allais la rejoindre chez elle. Les indications étaient simples. J'étais impatient de la retrouver, mais je conduisais sous la limite. Je voulais m'assurer qu'elle ne verrait pas ma voiture, ça contrasterait avec mes propos de programmeur. Ce délai lui laisserait aussi le temps d'enfiler un kit de fin de soirée, en dentelle rouge ou noire, et de faire sa toilette intime. Les femmes sont pointilleuses là-dessus. Moi, je préfère les effluves d'une longue journée qui viennent envahir les narines et picoter les papilles, mais les femmes de ma génération sont timides de la choupette.

J'ai traîné en chemin pour absolument rien. Elle m'attendait dans le stationnement. Pas de kit, ni de choupette propre au programme ce soir. On s'est embrassés et tâtés un moment contre sa voiture, une Acura, un char de fille. Elle m'a tiré vers l'immeuble en insistant sur le silence à garder, à tout prix. Les murs de l'appartement étaient en carton, et elle vivait une relation houleuse avec sa colocataire. Ça m'a excité.

J'imaginais que, si on jouissait en poussant les décibels, la coloc pourrait venir nous rejoindre.

Son appartement faisait l'angle du quatrième étage. Inaccessible de l'extérieur. Dommage. Il recelait plein d'objets de valeur.

En traversant le salon, je me suis cogné l'orteil contre une table basse. Mandy a pouffé de rire, me tirant par la main jusqu'à sa chambre. La porte refermée, je croyais qu'elle allumerait, une chandelle au moins. Me saisissant à la taille dans l'obscurité, elle m'a fait basculer sur le lit. Elle m'embrassait avec beaucoup de passion et de langue. Je ne voulais pas interrompre son bel élan, mais j'ai suggéré de faire de la lumière. *Je suis un visuel, tu comprends ?* Elle a répondu non, absorbée par son léchage digne d'un cocker anglais.

Chez l'homme, un des dommages collatéraux de l'accessibilité sans bornes à la pornographie est l'attente de voir. *On veut pas l'avoir, on veut la voir*, disait Yvon Deschamps à une autre époque. La rétine de l'homme n'a jamais, de toute l'histoire de l'humanité, été à ce point bombardée de femmes nues pénétrées de partout. La vue est devenue un organe sexuel en soi. Je me voyais mal expliquer tout cela à Mandy. Je me suis dit qu'elle devait avoir ses raisons, qu'elle avait des mamelons difformes ou quelque chose du genre. J'ai accepté à contrecœur de procéder dans les ténèbres.

Empêtré dans nos derniers morceaux de vêtements, j'étais sur le point de découvrir sa beauté intérieure quand elle m'a présenté un condom, le grand assassin du désir. Je lui ai murmuré que nous n'en avions pas besoin en tentant de forcer légèrement mon passage. Elle a statué que c'était le condom ou rien. J'ai surenchéri en l'assurant que je n'avais eu qu'une copine, avec laquelle j'avais perdu ma virginité, d'ailleurs, il y avait deux ans. Elle a trouvé cet aveu mignon et m'a laissé faire ma petite affaire.

C'était un pieux mensonge. J'étais sûr qu'on y gagnerait tous les deux, en plaisir du moins. Et l'herpès génital ne se transmet pas systématiquement, surtout quand on est asymptomatique comme moi.

C'était bien, l'obscurité, finalement. Question ambiance et performance. Dans les élans, les claquements de cuisses, les claques aux fesses et les gémissements, on a réveillé la coloc. Elle secouait bruyamment de la vaisselle dans la cuisine alors que j'achevais Mandy. J'avais bien performé et m'étais retenu aussi longtemps que possible. Mais dès que je l'ai étranglée un peu, je n'ai pu me retenir et j'ai joui en elle, râlant tout mon saoul.

Je surveille toujours l'heure lorsque je baise. On frisait les huit minutes, très près de mon record personnel. Mandy, probablement satisfaite, est revenue de la salle de bain et m'a offert une serviette à l'effigie de Bob l'éponge. J'ai fait une blague en imitant la voix du personnage, mais elle n'a pas ri. J'ai noté que les femmes sont souvent boudeuses après l'amour. Ce doit être une question d'hormones. Elle m'a invité à me rhabiller et à partir. Non, elle ne recommencerait pas, elle en avait eu assez. Oui, c'était bon, merci.

J'ai repris la route, cigarette au bec. N'eût été la douleur aux côtes, ça aurait été un moment parfait.

J'ai emprunté l'autoroute à haute vitesse, la radio au fond, chantant avec Marie-Mai. *La la la la…*

Je me suis présenté au travail tout épanoui de sexualité le lendemain matin. Cette aventure augurait une bonne semaine, suggérant aussi que la rencontre familiale allait se dérouler comme sur des roulettes. Il faut savoir lire les signes. Dans cet élan de joie, j'ai même offert un café à Reynald. Comme un calumet de paix, je lui ai acheté une bonne potion fumante. Il a accepté mais m'a relancé sur la nécessité de conserver des sous pour le rembourser. Il exigeait, à tout prix, que je lui remette les deux paiements sur la prochaine paye. *Un jour à la fois, Reynald, un jour à la fois. C'est le secret du bonheur.* Il n'a pas paru convaincu. Il voulait son dû. *Just watch me*, aurait promis René Lévesque.

Même le café goûtait le bonheur ce matin-là. Il est toujours meilleur dans un verre de carton. On n'a même pas à laver notre tasse, juste à savourer le café et à jeter le verre à la poubelle. Si, en plus, tu peux être assis dans un gros camion en fumant des cigarettes, c'est le rêve nord-américain. Et si tu es un homme et que tu es blanc, tu n'as plus qu'à rugir, c'est le rêve planétaire.

Reynald m'a détaillé le plan de la journée. On mangerait de la route ; plusieurs bêtes à ramasser dans les villages aux alentours et achat de médicaments chez deux vétérinaires. Rien de spécial. On commencerait par la récupération d'un chat de gouttière, et c'était le cas de le dire. On ne savait comment il s'y était infiltré, mais le chat était coincé dans le toit de la maison. Il fallait donc se rendre à Bromptonville, un village de pauvres.

Sur la route, j'ai discuté politique, pour faire plaisir à Reynald. Il m'a informé que le vent tournait, que les sondages favorisaient à nouveau son candidat et qu'il fallait tout faire pour que ça se maintienne jusqu'au vote. Dans une grande lucidité que je lui connaissais peu en matière de politique, il m'a exposé que, même dans un pays démocratique comme le nôtre, tout était surtout une question d'image et de tendances. Oui, tous les candidats oscillaient entre les fausses peurs et les fausses promesses, mais le plus triste, c'est qu'ils croyaient à leur programme pour vrai. Ils ne pouvaient pas l'exposer, car les médias traitaient tout en capsules. J'ai cru bon d'émettre un *Mmh, mmh* ambigu.

Il a repris de plus belle. *Et le porte-à-porte, faut oublier ça. La majorité des citoyens ne comprennent même pas quel système les gouverne, ni quel palier de gouvernement est impliqué dans quelle décision.* Reynald prenait des couleurs, du rouge surtout. Ses polarités se rencontraient enfin, il se renfrognait avec passion. Il s'emballait, nous étions à l'orée du postillon. J'ai détourné le visage.

On est là, comme des tatas, à perdre des heures et des heures en bénévolat pour les informer, mais ils vont voter au feeling, selon la beauté de la cravate ou de l'autobus, c'est n'importe quoi ! J'ai décidé de voler à sa rescousse en partageant avec lui un morceau de philosophie.

Dans une famille d'accueil où j'habitais, il y avait un bonhomme bien spécial, Réjean, une espèce de sage moderne qui m'a aidé à comprendre la vie avec une seule phrase : raconte-toi pas de menteries ni de faux espoirs, la moyenne du monde est grosse, laide et conne. Ça m'aide encore à comprendre l'humanité... Reynald a convenu que Réjean était un sage, mais il n'a pas relevé qu'il était lui-même un peu gras et défavorisé du faciès. À sa décharge, je ne le considérais pas comme un con à temps plein.

On a parlé un moment devant la maison du chat dans le plafond, le temps de terminer nos grands cafés. On a tiré à pile ou face pour déterminer qui grimperait extirper le minou. Reynald ne voulant rien savoir de la face de la reine, j'ai pris face et le caribou a joué contre moi.

C'était un toit bourré de laine minérale. Je m'étais à peine passé la tête dans le trou que ça me démangeait jusqu'aux mollets. J'ai mis une dizaine de minutes avant de repérer le chat, planqué sous l'isolant, dans un coin. Il était maigre et tremblotait, désespéré au point de se laisser prendre sans même miauler. Je sentais ses côtes malgré l'épaisseur des gants. Je lui ai caressé le crâne pour l'apaiser en lui fredonnant du Wu-Tang à l'oreille. Je l'ai passé à Reynald, qui l'a confiné dans sa cage. On a décidé de l'emmener au centre aussitôt, pour qu'il y reçoive les meilleurs soins. Ce devait être un chat spécial, avec l'aura indigo et tout. L'idée de le blesser ne m'a même pas traversé l'esprit, que j'ai vif pourtant.

15
La joie de vivre

En fin de journée, le soleil brillait et il soufflait une brise douce comme de la peau de fesse de bébé. C'était confortable et j'ai décidé d'aller marcher, question de renforcer ma cheville qui se rétablissait. Reynald m'a recommandé le lac des Nations, une promenade de quelques kilomètres, bien aménagée, où s'exposaient toutes les joggeuses en leggings du coin. Il a précisé que c'était un régal pour les yeux.

J'avais conservé ma chemise de travail portant le sigle de la SPA. Je déteste les hommes en uniforme, que ce soient des policiers, des gardiens de prison ou des soldats. Même les commis de dépanneur. Mais cet uniforme-là, c'était différent, c'était un uniforme de gentil. Même s'il était beige et brun, je suis convaincu qu'il faisait son effet sur les filles que je croisais. Tout le monde aime les animaux, même si on les mange et les abandonne. Un fier protecteur de ces bêtes vulnérables ne pouvait qu'exciter l'admiration.

J'ai marché face au soleil, question de bronzer un peu. Il faut dire que j'avais le teint blême avec de larges cernes mauves sous les yeux. Certains appellent ça des valises. J'étais équipé pour un long voyage. Avec ce petit bronzage, je serais particulièrement beau. Mes nouvelles cicatrices allaient être mises en valeur.

Malgré que je croisais, à la dérobée, plusieurs regards pleins d'intérêt, je n'ai fait aucune rencontre. Je devais dégager un parfum de sexe, des phéromones ou je ne sais quoi qui dénonçait mon rapport de la veille. Les femmes aiment se sentir uniques et avoir l'exclusivité du mâle qu'elles asservissent. C'est documenté. J'en souriais, ne perdant rien de mon bonheur. Le soleil, les culs fermes et le clapotis des vagues sur le lac m'inspiraient. J'ai décidé que j'allais rencontrer ma maman le lendemain matin.

Je n'ai pas dormi de la nuit. Le stress et la joie des retrouvailles imminentes me tordaient les tripes. J'ai évité de boire trop d'alcool, question de préserver une haleine fraîche. Je m'étais limité à une seule amphétamine dans la journée pour m'aider à dormir le soir. En vain. Ne restaient que les cigarettes et un demi-gramme de haschisch pour gérer l'anxiété et la joie. J'ai fumé des joints, des plombs à la bouteille, puis au couteau. Toute la soirée et une bonne partie de la nuit.

J'ai décrété que le matin débutait à quatre heures ce jour-là. Ça me laisserait le temps de me préparer. Mauvaise idée. Je me suis rasé trois fois, la dernière n'ayant servi qu'à me couper le menton. J'ai pris deux douches, mais je me sentais tout de même sale. Les nuits blanches ne sont jamais immaculées. Et on n'est jamais assez propre pour rencontrer sa mère.

Elle commençait son quart de travail à six heures trente, je l'avais noté lors de ma première filature. J'ai décidé de cogner à sa porte à six heures moins vingt. Ce serait parfait. On aurait quelques minutes pour discuter, se serrer dans nos bras, puis elle partirait au resto. Ça me rassurait de situer ce grand moment dans un laps de temps contrôlé. Si je bégayais ou éclatais en sanglots, je n'aurais pas à endurer cette gêne trop longtemps. Ce serait une première prise de contact. On se retrouverait le soir même ou le lendemain, heureux.

J'ai frisé les accidents tout au long de la route. Le stress, la fatigue et le bonheur. Je me félicitais de ne pas avoir bu. J'étais moins dangereux et j'avais bonne haleine. Je pratiquais l'intensité de mon regard dans le rétroviseur et mes phrases mille fois répétées à voix faible, pour ne pas les user. *Maman, c'est moi, enfin !… Bonjour, maman, tu me reconnais ?… C'était bien moi, tu m'avais reconnu au restaurant, je le sais… Coucou, c'est ton ti-pou !* Le bronzage, un coup de soleil, atténuait l'effet de mes plaies au visage, qui guérissaient déjà à bon rythme. Maman serait bien contente de voir ça, rassurée même. Par habitude, je me suis stationné deux rues plus loin et j'ai marché.

La particularité des grands moments est de mettre tous les petits gestes en perspective. J'ai hésité longuement devant la porte. Il fallait cogner ou sonner ? Dans la Bible, le retour de l'enfant prodigue est annoncé. On l'a vu revenir de loin. Personne ne m'annonçait nulle part, moi. J'ai sonné, c'était plus officiel.

La porte s'est à peine entrebâillée et, dans l'embrasure, un homme est apparu, torse nu. Il semblait contrarié. J'ai mis un moment à le reconnaître, pourtant c'était M. Fournier, l'amoureux de ma mère et mon géniteur potentiel. S'étendait autant de barbe sur sa poitrine que sur son menton. C'était fascinant. Il a répété pour la troisième ou la quatrième fois sa question. *Qu'est-ce que tu veux ?*

Qu'est-ce que je voulais ? Tant de choses, par où commencer ? J'ai demandé d'abord à parler à Marie-Madeleine, avec un aplomb qui m'a étonné. L'homme a refermé et m'a laissé poireauter devant la porte, tout à mes réflexions. C'est comme pour la sexualité, il ne faut pas trop appréhender la situation, le moment de la prise de contact. Ça me ferait perdre mes moyens. Je devais rester plein d'assurance, comme je l'avais été avec le velu.

La porte s'est ouverte, donnant sur ma mère, lumineuse. J'espérais qu'elle m'inviterait à entrer, qu'elle m'accueillerait dans son intimité. Elle est demeurée devant la porte, se tournant seulement pour confirmer à son conjoint que c'était bien moi, *le gars du restaurant*. Ça m'a redonné du courage : elle avait parlé de moi à son entourage, elle m'avait déjà reconnu. Je le savais !

Je suis bien heureux de te rencontrer, enfin. Ça faisait longtemps que je planifiais ça… Mes talents d'orateur étaient restés sur la banquette arrière, deux rues plus loin. S'est installé un long silence, à ne pas confondre avec un malaise. C'était de l'émotion, plutôt.

Pourquoi tu viens ici, chez moi ? Je te connais même pas… Je sentais de la peur dans sa voix. Elle devait craindre mes reproches, après toutes ces années, convaincue que je lui en voulais d'avoir laissé les services sociaux me kidnapper et me séquestrer loin d'elle.

Je sais, je sais, je je veux qu'on apprenne à se connaître, justement. Qu'on rereprenne où on nous nous nous a séparés. Je me faisais rassurant.

Elle n'était pas rassurée. *On n'a pas de liens ensemble, comment tu m'as retrouvée ?*

J'allais pleurer, lui sauter dans les bras et l'embrasser, lui chuchoter que tout était correct, qu'il n'y avait plus rien de grave. C'était ma mère. Elle le reconnaissait enfin ; je l'avais *retrouvée*. La puissance du verbe. Mes années de lecture me le confirmaient. Une seule phrase, un seul mot peut tout changer. Le cœur gros du mot *retrouvée*, j'ai balbutié, une boule dans la gorge : *On a encore du du du temps, on va va apprendre à se connaître. Tu as raison, on on s'est retrouvés. C'est l'essentiel.*

L'homme avait posé ses grosses mains poilues sur les épaules de ma mère et la tirait vers l'intérieur. Elle a répété, encore, *comment tu m'as retrouvée ?*

Il m'apparaissait que c'était un détail technique important pour elle. Je ne pouvais pas lui parler de Marie-Josée et de Google, ça manquait de lustre. Je n'allais pas non plus lui révéler que je l'espionnais depuis plus de deux semaines, par amour. Elle pourrait croire que je suis bizarre. Je me suis rabattu sur la simplicité. *Je je t'ai reconnue et je t'ai suivie, à à la la sortie du restaurant.*

C'est ce que je pensais. J'ai eu l'impression qu'elle s'adressait au velu avec cette réflexion. L'homme qui avait de moins en moins de chances d'être mon père, par ailleurs. Je le trouvais antipathique et moins beau que moi. Trop poilu. Même pas roux. Et il ne lâchait pas ma mère.

T'as l'air d'un bon p'tit gars, mais je peux rien faire pour toi. Tu devrais trouver de l'aide. Il y a plein de ressources à Sherbrooke, tu sais. Elle a fait un pas de recul. Il la contrôlait, c'était sûr. Il devait être grec, les Grecs sont dominants.

Mais c'est juste de de toi toi dont j'ai besoin! Je je veux qu'on parle, qu'on parle beaucoup, qu'on apprenne à se connaître, qu'on on écoute la la télévision ensemble, en mangeant du spaghetti gratiné. Elle s'est figée. Elle avait compris.

OK, c'est trop bizarre, là. Je vais te demander de partir, s'il te plaît. Je dois me préparer pour aller travailler. Je suis désolée… Il faut que tu partes.

Elle s'est libérée des griffes du pileux d'un coup d'épaule et est retournée dans son appartement, sans m'embrasser. Lui restait là, à me scruter avec son regard de chien de garde hellénique. *Écoute-moi bien, je sais pas t'es qui ni ce que tu veux, mais je vais être bien clair : tu reviens jamais ici, ni proche d'ici, ou c'est à moi que tu vas avoir affaire.*

Toi, t'es pas mon père ! Je lui ai souri méchamment avant de tourner les talons.

Au volant de mon bolide, je filais comme le vent. Gémissant de bonheur entre deux sanglots, je me répétais chacune des paroles échangées, sans arrêt, pour ne rien oublier. Tout ne s'était pas déroulé comme prévu, mais rien ne se déroule jamais comme prévu, sauf à la lutte. L'essentiel y était. J'avais retrouvé ma mère, c'était confirmé. Notre premier contact n'avait pas été mauvais, la magie des retrouvailles se déploierait bientôt. La gorge nouée, n'arrivant pas à libérer ma voix, j'étais heureux. Beaucoup. Peut-être trop. Peut-être même beaucoup trop.

Je me dévorais les ongles de fébrilité. Je saignais des doigts de bonheur.

Ma chambre avait maintenant les dimensions de l'univers, immense comme les possibilités qui s'offraient à moi, à nous. Ma mère et moi. Le Grec allait se faire éjecter du portrait rapido presto. Étendu sur le petit matelas inconfortable de ma chambre humide, je me suis vautré dans le confort de l'amour filial et me suis repassé la scène, en sépia.

Maman était sous le choc. Je la comprenais, après toutes ces années. Je l'étais moi aussi même si je m'étais préparé, contrairement à elle. Elle devait avoir le cœur et l'esprit bien occupés, au restaurant.

Peut-être même au point de se tromper dans les commandes ou de renverser du café sur les clients. J'ai souri.

Je me remémorais chaque seconde de notre rencontre, évitant de me focaliser sur les passages avec le Grec, trop désagréables.

Comment tu m'as retrouvée ? La phrase clé, la question de Pandore, le mot de la fin. Se profile déjà *retrouvailles* dans *retrouvée*. Elle avait laissé échapper cette phrase d'une voix faible, non, douce, pour en souligner le sens. Elle devait être impressionnée par mon sens de la débrouillardise et de l'organisation. Elle avait dû me chercher elle-même depuis des années. D'où venait le malaise ? J'avais conclu les démarches alors que ce dénouement relevait de son rôle de mère. Ce ne pouvait être que ça.

Enfant, quand j'appelais les secours en préparant ses sacs pour l'hôpital, les intervenants jugeaient que j'étais parentifié. Quels cons ! Et je ne le suis pas plus aujourd'hui. Chacun doit savoir être l'autre, dans une famille. Sinon, il n'y a rien d'authentique, ça devient un jeu de rôles. C'est vide. Ils avaient dû culpabiliser ma mère avec tout ce qu'elle n'arrivait pas à faire, à l'époque.

Elle m'avait demandé de partir, je l'avais prévu. Elle devait se préparer pour le travail, obligée de se remaquiller après avoir pleuré d'émotion. Il se pouvait, aussi, qu'elle ne fréquentait pas le Grec depuis longtemps, pas assez pour lui révéler qu'elle avait un fils. Ça lui arrivait aussi quand j'étais jeune. Les fils, ça fait fuir les hommes. C'est documenté. Ce qui était clair, c'est que cet énergumène n'était pas fait pour elle. Qu'elle me demande de partir, passe encore. Mais que ce bachi-bouzouk m'ordonne de ne pas revenir, c'était inacceptable. *T'es même pas mon père, le graisseux !* Je m'emportais, j'évitais de penser à lui, mais il prenait le devant de la scène et s'imposait sur le fil de mon souvenir. Il venait gâcher le tableau. Je l'ai placé en tête de liste des vengeances à exercer avec violence. Ça m'a détendu et j'ai repris le cours de mes rêveries.

J'étais fébrile, impatient de la revoir. Mais maman ignorait comment me joindre. J'irais la retrouver, bientôt. *Si la montagne ne vient pas à toi, va à la montagne*, écrivait Laurence Darabie, une poétesse maghrébine. C'était une bonne idée, la montagne, aussi. On pourrait faire de la randonnée en famille.

En attendant, je devais me caresser pour me calmer. J'ai ouvert un autre classeur à souvenirs. La langue de Mandy m'est venue en tête, au creux de la main.

Le temps avait filé comme une étoile. Je suis arrivé au bureau juste à temps, évitant un autre retard. Reynald souriait en me voyant traverser le stationnement à la course, glissant ma chemise dans mes culottes. *Calme-toi, le jeune, ça va être une journée tranquille.*

Il m'a expliqué qu'on avait annulé une récupération de chiens à Eastman mais qu'on devrait peut-être aller capturer un furet agressif dans une école primaire, à quelques minutes à peine. J'ai eu une pensée pour Touffu.

J'ai profité de l'absence de tâche pour errer dans le centre. La porte de l'armoire où étaient conservés les médicaments, les fléchettes et autres produits dignes d'intérêt était toujours fermée à clé. J'ai vérifié, par principe. Tout était sécurisé. Je n'avais accès aux médicaments et aux fléchettes que dans le camion, mais Reynald gardait le compte scrupuleusement. J'ai eu envie de passer le temps aux toilettes. J'étais déjà irrité. Je suis plutôt allé dans la grande pièce où l'on s'occupait des chiens et des chats destinés à l'adoption et, ultimement, à l'euthanasie.

La plupart des personnes étaient agressées par la cacophonie qui régnait dans cet endroit. Moi, ça m'apaisait chaque fois. Les feulements, miaulements, jappements et grognements couvraient mes pensées. Ça me reposait. Il n'y a pas que des avantages à avoir un esprit vif comme le mien, ça épuise. Je méditais sur l'importance de la respiration, dans la vie, quand j'ai remarqué Laura, assise à même le sol. Laura était une des employées les moins désagréables. Au bout d'une des rangées de cages consacrées aux chats, elle retenait une portée de chatons entre ses jambes en arc.

Je me suis approché. D'un geste, elle m'a invité à m'asseoir à ses côtés et m'a remis un chaton, noir et gris, aux yeux bleus. Il était mignon, je dois l'avouer. Les bâtards sont beaux, dans le règne animal. Chez les humains aussi, parfois, mais l'enjeu est différent. Si les humains se métissent trop, on va perdre la pureté de la race, des races, même. On va tous être des basanés crépus, il n'y aura plus de blondes aux yeux bleus. Pour les Noirs aussi, ce serait dommage de ne plus avoir de vrais Noirs bien noirs. Que des Métis au teint plus ou moins pâle. Non, il faut préserver nos races. On peut baiser en interculturel, mais la reproduction devrait se maintenir comme c'est la règle, la plupart du temps, chacun dans sa race. Sans être raciste. *T'as l'air loin, à quoi tu penses ?*

Je trouve que c'est un beau mélange, ce chaton-là. Laura a acquiescé et a entrepris de me présenter les six petits, selon les particularités du pelage et la couleur de l'iris. On les baptisait au fur et à mesure. À la fin, on avait Gandalf, Minoune, Moumoune, Frimousse, Killer et Jean-Pierre. Gandalf était le plus magique. Il miaulait sans arrêt, nous jetant des sorts maléfiques. Ses sortilèges ont attiré sa mère, laissée en liberté dans la pièce. Elle a tourné le coin en bâillant, a paru surprise de nous voir en compagnie de sa portée et a fui aussitôt. Laura s'est levée pour la récupérer. *Les chatons doivent avoir faim. On va les rassembler et les laisser tranquilles.*

Laura dégageait une beauté à retardement. Un charme peu évident, rehaussé par rien de particulier. Comme certaines de ces femmes qu'il faut revoir quelques fois avant de se rendre compte qu'elles sont belles. J'en étais à ce stade de constatation, fomentant l'idée de l'inviter à prendre un verre et son pied. En attendant, j'ai glissé un chaton, puis deux sous ma chemise. Leur fourrure était douce. Il restait de la place et je suis parvenu à saisir Jean-Pierre. Laura est apparue avec la chatte à ce moment.

Ha ha ! Qu'est-ce que tu fais ? Elle avait ri, c'était bon pour moi. Les femmes aiment se croire uniques, avoir le contrôle et rire.

Je développe un système de chauffage à base de minous, tu veux essayer ?

Tu me fais penser à Lenny.

Qui ?

Lenny, le personnage de Steinbeck, tu connais ?

Ah, oui, oui, je connais. Je déteste les gens qui se croient supérieurs d'avoir vu un film avant les autres. Si elle voulait jouer les intellos, elle n'avait pas pigé le bon numéro. J'ai lu des dictionnaires, moi, madame ! *Tu as déjà lu L'Alchimiste, de Paulo Coelho ?*

Ouais, Paulo Coelho, évidemment, pourquoi ?

Pour rien, c'est un bon livre philosophique, c'est tout. Paf ! Aussitôt, j'ai senti que j'avais fait mon effet et remis les pendules à l'heure.

T'es un gars spécial, toi.

Assez spécial pour t'inviter à prendre un verre ce soir ? On pourra discuter de films. L'hésitation est un non qui attend d'être caressé. *Allez, je sens que ce serait agréable…*

J'ai un cours de yoga, mais on peut se voir après. Pour prendre un thé ou un café, par contre. Je ne bois pas d'alcool.

Oh, OK, double dose d'amphétamines pour moi alors.

Tu dois être très souple. J'ai rattrapé un chaton qui menaçait de s'évader.

Euh, pas tant que ça, non. Pourquoi ?

Les filles accros de yoga que j'ai connues étaient souples. Tu vas le devenir en pratiquant. Je n'avais rencontré aucune fille ayant fait du yoga, mais ça ne m'empêchait pas de m'y connaître.

OK, t'es vraiment spécial ! Il faudrait que tu relâches les chatons maintenant, c'est l'heure du lunch. Minoune, Killer et Gandalf tétaient déjà leur mère avec appétit.

J'ai profité d'un dernier câlin aux chatons avant de les laisser rejoindre la fratrie.

On avait récupéré le furet maléfique, sauvé un raton laveur coincé sous une galerie et discuté de politique en masse. Reynald m'a libéré plus tôt. En plein milieu de l'après-midi, je me suis retrouvé libre. J'avais quelques billets en poche. J'allais devoir me renflouer sous peu, par contre. La nuit même ou le lendemain, si je concluais avec Laura dans la soirée. Je me gardais la nuit en réserve.

L'envie de m'envoyer des grosses bières au premier bar croisé a cédé la place à la tournée des leggings. J'ai longé le lac des Nations au volant de ma voiture et remarqué que c'était bondé. J'ai choisi de m'y attarder.

L'envie de boire était tenace. J'ai résolu de m'en débarrasser dans le stationnement. Je ne connais qu'un moyen de faire passer l'envie d'alcool, c'est la consommation de drogue. Sachant que mon prochain engagement, conquérir Laura, ne se présenterait que dans plusieurs heures, j'ai décidé de me gâter. Mauvais calcul.

16

La sensibilité

Le soleil était magnifique, les culs qu'il rôtissait l'étaient plus encore. Pour brûler l'énergie des cachets et des boissons énergisantes enfilées durant la journée, j'ai joué à *Perds-Pas-De-Vue*. Cette discipline fraîchement inventée consistait à suivre à la course toutes les joggeuses avantageusement bombées des muscles fessiers sur mon parcours. Ce qui paraissait une bonne idée s'est révélé énergivore. Je suis intense. Au bout d'une douzaine de poursuites, j'étais en sueur et je crachais mes poumons sous la forme de petits caillots. Surtout, lorsque je me suis arrêté, à la limite de l'évanouissement, j'ai réalisé que je m'étais encore bousillé la cheville. On oublie l'importance de ne pas courir sur une cheville en rétablissement.

Je traînais la patte vers ma voiture, décidé à prendre une douche et à attendre sagement l'heure du rendez-vous, lorsque je l'ai vue. Comme elle était habillée, je ne l'ai pas reconnue immédiatement. Mais c'était elle, aucun doute possible. Ses immenses seins l'incitaient à marcher cambrée comme une jument de compétition. Elle affichait cet air de prospérité de début du mois dont seules les danseuses ont le secret. Sous ses tonnes de bijoux, de maquillage et de vêtements brodés de dorures se dandinait Debby, la danseuse. C'était fâcheux. Habituellement, les danseuses ont le bon goût de ne pas œuvrer dans les villes où elles résident. Debby n'avait que le goût de sa brume de corps à la lavande chimique.

Face à la peur, on fige, on attaque et on fuit. Dans cet ordre, c'est l'idéal. Sinon, ça peut devenir compliqué. Déchiré, je voyais une occasion de vengeance, mais aussi un beau paquet de troubles bien enveloppés. Elle était responsable de la dernière volée que j'avais mangée, avec peu d'appétit d'ailleurs. Si elle n'avait pas brouillé mes calculs à la machine à sous, je les aurais payées, ses danses. Il n'y aurait pas eu de problème. D'un autre côté, elle devait considérer que j'étais toujours en défaut de paiement et pourrait appeler le gorille à la rescousse. Pour l'instant, la question ne se posait pas en ces termes. Elle était accompagnée d'un garçon de six ans, tout au plus. Son fils, probablement. Les travailleuses du sexe se reproduisent, c'est une constante étonnante. J'ai décidé de la suivre et d'improviser en cours de route. Elle possédait un énorme beau cul bombé. La prendre en filature relevait du bonbon à rétine.

Un quart de tour de lac plus tard, elle s'est dirigée vers le stationnement. Je n'avais rien perdu, même pas de temps, ma voiture y était aussi. Elle s'est arrêtée près d'un VUS blanc presque neuf. Ça paie, le commerce de la viande. Comme elle aidait son fils à s'installer, j'ai abandonné l'idée de me venger, ne voyant plus de possibilité. Je pourrais la suivre, mais j'avais atteint mon quota de filature. J'étais planqué derrière une benne à ordures quand la providence s'est manifestée sous la forme d'une vessie de calibre réduit. Debby a repris son morveux dans ses bras et s'est dirigée vers le pavillon multiservice. C'était ma chance. Il faut savoir saisir les occasions que l'on provoque.

Je n'avais jamais crevé de pneu auparavant. C'est plus résistant qu'il n'y paraît. Comme moi. Je désirais planter mon couteau dans chacun, mais je me bagarrais pour extirper ma lame du premier. Je ne connais pas ma force. J'avais enfoncé la lame trop profondément. Une nouvelle couche de sueur me couvrait. J'ai agité le couteau en tous sens pour le dégager. Lorsque j'y suis arrivé, j'ai estimé que le morveux devait achever son pipi et j'ai boité en vitesse jusqu'à ma voiture. Situé à un bon angle du camion, je ne raterais rien de la scène. Aux premières loges, il ne me manquait que le pop-corn. Ce qui est sacré dans la vengeance, c'est d'en jouir.

Elle a traîné sa descendance jusqu'au camion, l'a fait grimper, s'est installée côté conducteur. Elle a quitté le stationnement, me prenant par surprise. Comme si de rien n'était. J'ai démarré en vitesse, incommodé par ma cheville blessée et mon torse moite qui collait à la ceinture. Je l'ai suivie, convaincu que le pneu dégonflerait sur la route, qu'elle en serait encore plus ennuyée et punie. Au bout de cinq minutes, elle s'est garée devant un grand immeuble à logements, une coop d'habitation pour les pauvres, et y est entrée sans autre cérémonial. Merde ! Est-ce que mon couteau était trop fin ou son pneu, vengeance-proof ? Je devais en avoir le cœur net.

Encore trempé, j'ai enfilé ma chemise et traversé la rue. Je me suis penché sur le pneu avant, côté passager. Pas de doute, il était dégonflé, presque à plat même. Debby était trop conne pour se rendre compte qu'elle roulait avec une crevaison, c'était tout.

Qu'est-ce tu fais là, toé, câlisse ? ! Mon cœur a fait trois tours et est tombé sur le dos. Le temps de me remettre de l'infarctus instantané, j'avais déterminé la provenance du cri. Debby était perchée sur un balcon, au deuxième étage, les seins par-dessus la rambarde.

J'te reconnais, toé, mon sale ! T'es le gars du bar ! Plutôt que de la féliciter pour son sens de l'observation, je me suis empressé de gagner ma voiture en me traitant de tous les noms. Tout était parfait, j'avais juste à la laisser partir avec sa crevaison et j'étais vengé. La curiosité sabote les plus nobles projets. C'est documenté.

Qu'est-ce que tu faisais à mon truck ? Heille ! Reste là ! Je suis enfin arrivé à déverrouiller ma portière et à m'engouffrer dans ma voiture. *J'vas te retrouver, trou de cul !* Debby brandissait un poing menaçant pour appuyer ses propos, son fils accroché à sa hanche. Il fallait déguerpir : une danseuse en furie, c'est plus dangereux qu'un paquet d'arachides dans une garderie. Je suis parti en reculant pour qu'elle n'ait pas mon numéro de plaque, au moins. Surtout que la voiture était encore au nom de Reynald ; ce serait dommage de le mettre dans le pétrin pour une putain. Je me suis félicité de cette bonne rime et j'ai repris la route vers la maison. Il fallait absolument me doucher et me détendre avant la rencontre avec Laura.

Tout de même, je devrais rester sur mes gardes désormais. Même les petites villes sont de gros villages. Il n'y a que les arbres qui ne se croisent pas.

Dure journée sous le soleil de Sherbrooke. En arrivant à la maison, outre les pas de la propriétaire à l'étage, j'ai entendu du mouvement au sous-sol. Plaqué contre la porte, j'ai essayé d'évaluer la situation. On m'avait retrouvé, déjà ? C'était le gorille, la police ou une nouvelle équipe de baseball amateur qui voulait s'exercer avec ma tête ? Je comptais défendre ma peau et ce qu'il me restait d'os intacts avec vigueur. J'ai longé le petit corridor, arme au poing.

Bonjourrr ! Aaargh ! Il a été plus surpris que moi, ça me donnait l'avantage.

T'es qui, toi ? J'ai baissé mon couteau, devinant que l'intrus n'était pas dangereux. Tout chétif et seul, il ne venait pas pour me battre. Drôlement basané, aussi, il ne pouvait pas être policier. La police accepte toujours quelques Noirs dans ses rangs, question de respecter les quotas obligatoires, mais ils n'embauchent jamais de races exotiques.

Je suis Apunam. Je prendre chambre ici. Les vacances étaient finies pour moi, la proprio avait loué la seconde chambre. À un Indien. Pas un vrai Indien alcoolique du Québec, non, un Indien du textile. Un Indien d'Inde ! Il ne possédait probablement rien de valeur pouvant m'intéresser. Un pauvre immigrant d'une trentaine d'années avec une moustache et un regard usé à la corde, déjà. On vieillit vite au soleil.

Laura manquait de seins. Elle manquait de fesses et de lèvres aussi. Mais elle ne manquait pas de classe. Elle fréquentait l'université, ce qui ne veut rien dire sinon qu'elle avait de l'argent. Elle avait beaucoup voyagé, comme je le ferais bientôt. Il n'y avait pas de quoi se vanter. Elle ne buvait que du thé Pu-erh. Elle m'a expliqué qu'à l'instar du vin, certaines années et régions donnent de meilleures saveurs. Elle se révélait intéressante, cultivée même. Elle m'excitait peu, sur le plan génital, mais savait entretenir une conversation sur plusieurs sujets. Laura serait une bonne fille à présenter à ma mère, éventuellement. J'ai décidé de m'investir dans la séduction.

As-tu déjà visité l'Inde, Laura ?

Ah, non, mais j'aimerais beaucoup ça. Tu as eu la chance d'y aller ?

Oui, quelques fois, j'ai un bon ami qui m'accueille là-bas, quand je voyage avec mon sac à dos. Il s'appelle

Apunam. Il travaille dans le textile. J'ai tout de suite senti que je l'émerveillais, elle se jouait dans les cheveux. Tous les magazines vous le diront, dès qu'une fille se joue dans les cheveux, la moitié du chemin est fait.

C'est cool, ça. Tu l'as rencontré en voyage, Apunam ? L'hameçon était planté creux dans l'intérêt, je n'avais plus qu'à la sortir de l'eau.

Oui, en fait, durant un de mes voyages, je suis allé cueillir du thé Pu-erh sauvage, comme tu aimes, en Inde. Apunam était un genre de guide en forêt. Je me suis tu, laissant le silence me couvrir l'aura de mystère.

Je ne pense pas que ce soit possible…

Oui, oui, c'est possible. Il y a plein de guides de forêt en Inde. Je déteste quand mes interlocuteurs me remettent en question. C'est impoli.

Non, mais le thé s'appelle Pu-erh parce qu'il provient d'une région de la Chine bien spécifique. C'est une espèce d'appellation contrôlée, tu comprends ? C'est dans cette région qu'il est produit avec une technique chinoise aussi. Je ne pense pas qu'il y en ait en Inde.

Tu penses ce que tu veux, moi je suis allé en Inde et j'ai cueilli du thé Pu-erh. Je ne l'ai pas inventé ! Tu pourras demander à Apunam, il est en visite au Québec. Mon ton ne laissait aucune place à la réplique. Je devais garder le contrôle de la conversation. Elle a répliqué quand même, en riant en plus.

OK, OK, je vais te croire même si c'est improbable. T'es un gars spécial qui vit des choses bien spéciales, j'imagine. De toute façon, je le connais pas, ton Indien, je ne vais pas arrêter tous ceux que je croise pour vérifier, ha ha ! Et elle a pris une gorgée de thé. J'ai ricané aussi pour faire bonne mesure et j'ai enfilé le reste de mon café. J'avais assez perdu de temps avec elle. Les universitaires arrogantes, il faut les éduquer à la baguette.

On va chez toi ?

Quoi ?

On va chez toi ? Chez moi, je viens de repeindre les murs, l'odeur est encore forte. Je dois aérer, ce ne serait pas agréable.

Oh, OK, je crois qu'on s'est mal compris. Je voulais juste boire un thé, moi, apprendre à te connaître. Je ne pensais pas que tu te ferais des attentes. Elle se laissait désirer, la coquine.

Je n'ai pas d'attentes, mais on s'entend bien. On a ri et on s'est écoutés en masse, non ? On est quand même plus intimes. On pourrait continuer la soirée chez toi, sans attentes. Elle se tortillait sur sa chaise, mal à l'aise.

Oui, on s'est dit pas mal de choses, mais pas tout, tu vois. Je dois justement rentrer chez moi pour rejoindre ma copine.

Pas de problème, je vais bien m'entendre avec ta copine aussi. J'étais vexé. À la quantité de sourires et de bonnes manières que je m'étais arrachés du corps !

Non, tu ne me comprends pas. C'est ma copine copine, mon amoureuse. Voilà qui expliquait pourquoi elle n'était pas plus chaude que ça. Elle se consacrait à l'homosexualité. Je lui ai souri, plein de complicité.

Moi, j'ai pas de problème avec les gais, entre filles. Souvent, vous êtes pas juste gaies non plus, right ? Elle a cessé de se tortiller et s'est raidie, même. J'avais touché une corde sensible, elle commençait à envisager le même scénario que moi. Je le sentais.

Écoute, je dois vraiment rentrer. Maintenant. On se voit au travail, OK ? Reste assis, finis ton café, c'est moi qui t'invite. J'ai observé ses fesses plates ne pas se dandiner pendant qu'elle allait s'acquitter de la facture. Je la laisserais mijoter encore. J'avais ébranlé son choix d'être homosexuelle, c'était clair. Je la retravaillerais dans quelques jours.

Ce n'était pas plus mal de terminer la soirée seul. Je devais me renflouer. J'avais même le temps de faire un tour à la fenêtre de maman, avant. Comme le rappelle un tatouage de Lil Wayne, *Family First*.

J'étais impatient de retrouver ma mère, histoire de reprendre nos retrouvailles. Mais dans les relations, comme dans la sexualité ou la préparation du thé, le plaisir est souvent dans l'attente. Plutôt que de me jeter dans ses bras, j'ai décidé de laisser passer deux journées. Ma mère est une femme comme les autres, après tout, elle aime le désir et le suspense. J'ai choisi de l'espionner un peu, en attendant.

Je ne suis pas très croyant, mais je suis religieux. De mon stationnement habituel à mon poste d'observation, j'ai demandé à Dieu de nous débarrasser du Grec. Il empoisonnait la vie de maman et la mienne du même coup. J'ai profité de mon élan de prière pour le remercier de m'avoir mené jusqu'à elle. C'est important de remercier Dieu. Il est susceptible, comme tout le monde. Si on fait juste tout lui demander sans jamais le remercier, il va finir par bouder. Les Africains sont un parfait exemple. C'est un peuple très demandant.

J'estimais qu'à l'heure où j'arriverais, maman serait déjà assise devant son téléviseur, une collation à portée de main. Parvenu à destination, j'ai encore senti mon cœur faire trois saltos avant de s'écrouler. Décidément, c'était la journée internationale de la gymnastique coronarienne. Une puissante lumière m'avait aveuglé. Juste au-dessus de la fenêtre, on avait fixé un détecteur de mouvement. J'ai détalé du mieux que je pouvais, me retournant au dernier moment. Le Grec était à la fenêtre, ce Barabbas.

Le souffle court, une douleur dans les côtes, j'ai démarré en trombe et fumé quatre cigarettes pour me calmer. Puis un joint en arrivant à ma chambre. J'ai croisé Apunam qui sortait des toilettes, la tête basse, longeant les murs. J'ai vraiment eu envie de le frapper, à coups de coude au visage, mais je me suis retenu. Je devais conserver ma précieuse haine pour le Grec. Et le gorille et Debby et M. Paul et les policiers et combien d'autres bénéficiaires encore.

Le propriétaire du triplex avait dû faire installer le détecteur de mouvement. Certainement pas ma mère, avec son salaire de serveuse. Sinon, c'était le Grec qui se doutait que je me rapprochais de ma mère par sa fenêtre. Si c'était lui, alors il méritait le pire des châtiments. J'ai d'ailleurs passé une partie de la nuit à planifier la chose, impliquant des aiguilles, des animaux, de l'huile chaude et une scie à métaux. Le ressentiment m'empêchait de dormir.

Reynald me broyait les couilles, encore, avec les paiements de ma voiture. Il avait lui-même des réparations à faire sur son véhicule, son implication politique était coûteuse en essence et je ne sais quelle autre excuse. Pauvre Reynald. Économise ta salive, au moins.

Je sais que j'insiste, mais c'est super important. Ça m'a fait plaisir de te dépanner, mais il faut absolument que tu me donnes les deux cents dollars cette semaine, le jour de la paye, OK?

OK. On devait avoir notre paye dans deux jours. C'était ma date de tombée. Je ne rentrerais pas au boulot ce jour-là, ni les jours suivants d'ailleurs. J'aime les nouvelles expériences, mais je jugeais que j'avais assez d'expérience de travail, maintenant. C'est chiant, le travail, c'est pour les prolétaires et les abrutis. Je valais mieux que ça. J'avais mes dépôts directs d'aide sociale et j'arrivais à m'arrondir les fins de mois avec mon magasinage à domicile.

Pas de problème, mon Reynald, on passera directement à l'Insta-chèques jeudi. Je savais que la SPA devrait me poster ma dernière paye à mon adresse, chez ma mère, si je ne me présentais plus au bureau. Ils avaient des obligations légales, après tout. Ne restait qu'à prévenir ma mère. Et régler le cas du Grec.

T'es encore parti, l'astronaute. Tu voyages souvent!

Oui, j'ai déjà visité l'Inde.

Ah?... OK, tant mieux. Je voulais juste te faire remarquer que c'est pas le temps d'être dans la lune ce

matin, on a une grosse journée en avant de nous autres.
Reynald avait ses grands airs des mauvais jours. Son
candidat devait traîner dans les sondages. Ou il devi-
nait qu'il ne reverrait jamais sa voiture ni son argent.
Ou il réalisait que sa vie était vide de sens. Il y a des
âges pour ça.

*On va commencer par évacuer une chienne et sa
portée d'une fermette insalubre, à Compton, puis on va
à Mégantic pour un transport de reptiles, une anima-
lerie qui est pas conforme. Ça va nous prendre l'avant-
midi, ensuite, on va…* Je ne l'écoutais plus. On allait
à Compton ! Plein de mes rappeurs préférés étaient
originaires de *straight out of Compton* ! Je me doutais
que ça ne pouvait pas être le même Compton, mais j'y
voyais un signe, il était temps que je passe aux crimes
sérieux… *et on va finir à Sherbrooke, en nettoyant l'intérieur du camion, il commence à être sale.*

Il avait raison, la journée était interminable. Beaucoup de route sous un crachin déprimant. De la politique et de la politique plein la gueule de Reynald. Du
sexe, de l'argent et ma mère plein ma tête. Compton
s'est révélée bien décevante, évidemment. Aucun
ghetto, nulle trace de rappeurs, seulement deux ou
trois petits commerces et des champs. C'est au retour,
alors qu'on nettoyait le camion, que m'a frappé l'évi-
dence. C'était à Compton que je ferais mon premier
gros coup.

Reynald m'a demandé ce que je fredonnais. *C'est
Wicked, de Ice Cube, tu peux pas connaître.*

*Wicked pas Wicked, frotte dans ce coin-là, il reste
de la pisse !*

17
La bravoure

Sur le chemin du retour, je me suis arrêté manger une grosse poutine à la saucisse puis je suis passé à la bibliothèque. Ça ne passait pas. Ni la poutine ni le courriel de Marie-Josée. J'ai dû le lire douze fois avant de le relire encore.

Elle avait insufflé de la finesse dans sa stratégie, la pute : me faire croire qu'elle était enceinte. De moi, évidemment. Marie-Josée m'assurait qu'elle n'avait baisé avec personne d'autre depuis des semaines, que ce ne pouvait être que moi, que je devais prendre mes responsabilités et revenir auprès d'elle, qu'on en discute. Elle me tenait par les couilles du sentiment.

Tu ma confier que ton père tavai tellement manqué. Pis tu voulai retrouver ta mère a tout pris. Fais pa vive sa a ton enfan aussi. Elle ne souffrait pas de dysphasie, la Marie-Jo, elle était carrément déphasée du vocabulaire. Ça me préoccupait pour l'éducation de l'enfant, si enfant il y avait.

Elle avait beau inclure en pièce jointe une photo du test de grossesse, n'importe quelle femme enceinte pouvait pisser sur un morceau de plastique pour une bière. Ça s'est vu.

Je voudrais peut-être être père un jour, mais jamais fonder une famille avec une barmaid qui se défonce à la cocaïne. Et il me restait des choses à régler à Sherbrooke. Et c'était probablement juste un piège pour me faire revenir et cracher l'argent de sa tante. Ou se venger pour sa petite infection de la choupette. Quel message de merde. J'avais la tête pleine.

J'ai fureté un peu sur les sites de rencontres, mais le cœur n'y était pas. Et les filles y étaient laides. J'ai pris le numéro de téléphone de l'unique dépanneur de Compton et suis parti aussitôt. L'argent me consolerait.

Une vingtaine de minutes avant la fermeture, je me suis garé à l'école primaire, à quelques pas du dépanneur. J'ai terminé ma canette de bière, fumé mes dernières clopes. C'était con, ça. Il ne me restait plus de cigarettes, et je ne pouvais tout de même pas aller en acheter au commerce que j'allais braquer. C'était trop risqué.

Je suis demeuré dans la voiture. Il fallait que j'y sois tapi jusqu'à la dernière minute, comme un jaguar. Le vol et la chasse relèvent du même art. Tout est une question de patience, de retenue et de violence. Je devais rester concentré, mais l'appel à ma mère me perturbait.

Après avoir vérifié l'heure de fermeture du commerce, j'avais profité de ma présence dans une cabine anonyme pour appeler maman. Elle avait répondu, d'une voix douce, presque suave. *Bonsoir… Allo… Aaaallo ? J'entends respirer, c'est encore toi ? Si c'est toi, écoute-moi bien, je ne veux plus que tu t'approches de moi ou que tu me contactes d'aucune façon, c'est clair ?*

Elle avait fait claquer l'appareil en raccrochant. Ça m'avait bouleversé, me ramenant à mon enfance d'un seul coup. Sa voix brisée par la colère et la peur me rappelait ses crises, ses appels à l'aide quand elle me réveillait la nuit. J'étais bourré d'inquiétude. De qui avait-elle peur ? Qui la harcelait ?

Est-ce que ce *toi*, c'était moi ? Non, évidemment, on ne s'était vus qu'une fois et la rencontre s'était bien déroulée, somme toute. Ce devait être le Grec, le sale poilu de Grec ! Elle l'avait enfin quitté et il ne pouvait accepter de vivre loin d'elle. Sinon, c'était un prédateur anonyme. Les belles femmes comme ma mère attirent les prédateurs. C'est documenté. De toute manière, je devais reprendre contact avec elle, en personne et en vitesse. Si elle avait besoin de protection, j'étais là.

Merde ! Je m'étais perdu dans mes enjeux familiaux et le temps avait couru. Le dépanneur allait fermer d'une minute à l'autre et je n'étais pas à mon poste. J'ai trotté furtivement vers l'arrière du commerce, évitant la lumière crue des lampadaires. Je me suis planqué derrière la voiture stationnée sur le côté. J'étais prêt à surgir pour m'emparer des recettes de la journée. Tous mes nerfs étaient tendus, moi aussi. J'espérais avoir affaire à une caissière professionnelle et docile.

J'étais arrivé juste à temps. J'avais repris mes esprits quand j'ai entendu les clés jouer dans la serrure. Puis, le bruit des talons venir vers la voiture. J'ai surgi et brandi mon couteau en chuchotant *bouge pas !* Elle n'était pas du tout professionnelle, la caissière. Poussant un cri, elle a laissé tomber le sac à main où elle rangeait ses clés et s'est mise à courir dans la rue. Pas un mot d'avis, rien, elle s'enfuyait. Tout n'était pas perdu, j'ai ramassé la sacoche et j'ai couru de mon mieux derrière elle. Je ne voulais pas la poursuivre, mais elle s'échappait en direction de ma voiture.

Elle a perdu un talon, est tombée lourdement et, me voyant approcher, s'est mise à hurler : *Au viol ! Au viol !* C'était une folle, pas de doute. Je n'allais pas la violer au milieu de la rue, quand même !

Sans m'arrêter, je suis passé à côté d'elle. Sacoche à la main, je cherchais mes propres clés de l'autre. Je les ai enfin trouvées, les ai perdues, ai dû enlever ma cagoule pour voir où elles étaient tombées, les ai reprises, ai finalement réussi à démarrer et à prendre la route. Dans le rétroviseur, j'ai vu un homme traverser la rue pour rejoindre la caissière et l'aider à se relever. Tout est bien qui finit bien. J'ai roulé à fond de train vers Sherbrooke.

Je tremblais de partout. L'aventure n'avait duré qu'une minute, mais j'avais l'impression d'avoir fait un décathlon, sur les genoux. J'avais mal aux bras, aux cuisses, à la cheville, et je pleurais. Je ne sais toujours pas pourquoi d'ailleurs. Peut-être la joie d'avoir réussi mon premier braquage. Malgré la légitimité, c'était gênant.

Aux abords de Sherbrooke, j'ai croisé deux voitures de police, gyrophares allumés. Comme je le croyais, Compton était juste assez loin pour que je puisse profiter du délai. J'ai eu l'impression qu'une des voitures faisait demi-tour sur mon passage, mais j'ai filé sans m'arrêter à aucun feu de circulation. On ne m'a pas rattrapé. En moins de deux, j'étais de retour à la maison, étendu sur mon lit, à la poursuite de mon souffle perdu tout en serrant la sacoche contre mon cœur.

Cette fois, le sac à surprises en valait la chandelle. J'ai trouvé un paquet de cigarettes, déjà. C'étaient des menthols, mais c'était mieux que rien. J'en ai allumé une. Il y avait aussi plusieurs condoms, ce qui m'a émoustillé. Plein de papiers inutiles, du maquillage que je pourrais offrir à ma mère, et enfin, de l'argent, plein d'argent. Seulement quelques dollars dans le portefeuille, mais, comme prévu, une enveloppe destinée à la banque avec les recettes de la journée. Trois cent quarante beaux dollars. Je les ai lancés dans les airs, comme dans les films. Puis je me suis emmerdé à les ramasser aux quatre coins de la chambre, à quatre pattes. Je croyais célébrer le premier braquage d'une longue série. C'est plus stressant que faire son magasinage dans des maisons vides, mais qui ne risque rien n'a pas grand-chose.

✳

Autant la nuit m'avait été profitable, autant la journée me pesait. J'avais des problèmes plein les bras avec l'histoire de harcèlement de ma mère et le bébé hypothétique que Marie-Josée voulait me mettre sur le dos. Surtout, j'avais de l'argent plein les poches. J'avais encore moins de raisons de me faire chier dans le camion avec Reynald, même s'il était bien propre, le camion. Je ne pensais qu'à me trouver un bar, m'envoyer quelques cachets, des litres de bière et jouer aux machines. Je sentais que la chance me sourirait.

Reynald n'était pas d'humeur non plus. C'était de nouveau un jour gris, sous une pluie fine, une pluie agace. Qu'il pleuve ou que le soleil brille. Il n'y a rien de plus lourd que les zones grises et les demi-mesures. On ne sait même pas à quelle vitesse régler les essuie-glaces par ce climat-là.

T'as passé une mauvaise nuit, le jeune. Reynald lançait la conversation en véritable Watson.

Non, au contraire, mais je sens que je vais passer une mauvaise journée. J'appuyais mon propos en faisant circuler de la salive entre mes dents. Ça fait un petit bruit particulier. Les Haïtiens font ça, souvent. J'adore.

C'est la température qui t'affecte ? Quelque chose de personnel ? Et c'était reparti pour un tour avec Reynald l'apprenti psy. J'ai décidé de jouer le jeu, pour tuer le temps.

J'ai eu des mauvaises nouvelles de ma mère. Elle a des problèmes avec son ex, il la harcèle. J'ai insisté sur le dernier mot pour qu'il capte la gravité de la situation.

C'est jamais facile, les ruptures. Tu dois lui rappeler de fixer ses limites, à ta mère. Comme ça, au moins, c'est clair de son côté. Il jouait même les psys par personne interposée, de toute beauté !

Oui, je lui dirai. On va où, là ? J'ai coupé court à la séance. J'avais l'intention d'imposer mes propres limites à l'ex de ma mère, et Reynald me tapait sur les nerfs. Il risquait de la rencontrer aussi, ma limite. J'avais feint le gentil assez longtemps avec lui.

On va à l'hôtel de ville, y a une famille de mouffettes qui s'est installée dans les archives. Il va falloir jouer prudemment. On va les endormir avec des somnifères mêlés à de la viande hachée. Si ça marche pas, faudra utiliser les fléchettes. Il s'est tourné vers moi pour me faire sentir le poids de la prochaine phrase. *Je vais utiliser les fléchettes.*

Déjà que travailler c'est trop dur, c'était plus pénible encore de glander sur place à attendre. En plein centre-ville, je voyais trois bars du camion où on poireautait. Reynald estimait qu'il fallait laisser filer une demi-heure avant de vérifier si les bêtes avaient mangé la viande assaisonnée de somnifères. Il espérait en avoir mis suffisamment pour assommer la mère. Les glandes des petits n'étaient probablement pas encore développées, mais si la mère lâchait son jus dans les archives de la ville, elles risquaient de ne plus être consultées pendant quelques années. C'était un contrat important, l'hôtel de ville, on n'avait pas droit à l'erreur.

Tu veux qu'on retourne à ton petit resto de déjeuners ce midi ? J'ai une envie d'omelette. Il s'en flattait la bedaine. Reynald m'a paru vulgaire, je ne voulais pas que ma mère me revoie avec lui.

Non, je préfère qu'on passe au marché acheter des sandwichs. On pourra prendre juste une demi-heure et finir plus tôt. Sur cette prise de position, je suis sorti du camion pour fumer une menthol. Elle goûtait le cul, le cul mentholé. Rien ne me plaisait ce matin-là, je n'aimais plus le travail, ni Reynald ni même moi-même. J'étais obsédé par le jeu, l'alcool et ma mère. J'espérais qu'il ne lui arriverait rien de grave.

Reynald était resté dans le camion, à l'écoute des informations, hochant la tête dans un sens puis dans l'autre selon les nouvelles. J'ai fumé encore trois cigarettes avant qu'il ne s'extirpe du véhicule et se décide à vérifier le succès de ses boulettes.

Il ne restait plus rien. Reynald avait placé deux boulettes dans chacune des trois longues rangées d'archives, au sous-sol. Plus aucune boulette dans la première rangée. Plus aucune boulette dans la deuxième rangée et plus aucune boulette dans la troisième rangée, mais une grosse mouffette morte avec ses quatre petits qui tournaient autour, dont un qui essayait de la téter.

Ah ! On n'aura pas besoin des fléchettes, finalement. Je pense que ta viande était avariée. Il m'a décoché un regard digne des plus belles vierges offensées. Ému, il restait penché sur la mouffette, la tâtant, à la recherche d'un morceau de vie là où ne restait que le résultat de son erreur, la mort.

Va chercher la cage plutôt que de chercher le trouble ! Je n'avais pas d'ordre à recevoir de Reynald, surtout sur ce ton. Je suis resté planté au-dessus de lui et j'ai soutenu son regard. *Qu'est-ce que t'as, toi, à matin, maudit innocent ? Va chercher la cage qu'on ramasse les petits.*

J'ai été très mature. Plutôt que de lui défoncer le crâne à coups de talon, je l'ai invité à s'enfoncer la cage en question au plus profond de son intimité et je suis parti. On m'a même ouvert la porte. Une madame en tailleur, visiblement troublée par notre prise de bec, venait s'assurer que tout allait bien.

Pas pour votre mouffette, madame ! J'ai claqué la porte derrière moi, la laissant avec un Reynald déconfit.

Je buvais du Goldschlager, ça donne bonne haleine. Quand je bois avant midi, j'évite les alcools qui puent. Surtout que je comptais visiter ma mère vers quinze heures. J'estimais qu'elle devait terminer son chiffre autour de cette heure-là. Certains hommes boivent pour se donner du courage, c'est n'importe quoi. Le courage, tu l'as ou tu ne l'as pas. Moi, je l'ai. Boire du fort m'aide à gérer mon stress, c'est tout.

J'étais anxieux à l'idée de revoir ma mère, c'est sûr, mais encore plus à cause de mes appréhensions par rapport au Grec. Devais-je vraiment prendre ses menaces au sérieux ? On ne sait jamais. Ceux qui jappent mordent rarement, mais quand ils mordent, ils partent avec la jambe. Je ne connaissais rien du bonhomme, il avait peut-être les moyens de ses prétentions. Je stressais aussi à cause de mon algorithme qui ne payait pas. J'avais déjà passé une dizaine de vingt piastres dans la machine. Avec les shots de fort et le pourboire que je laissais à la belle Sonya, mon pécule fondait.

Je devais me concentrer, il fallait augmenter la mise seulement quand trois cloches ou plus apparaissaient sur l'écran. En principe, ça devait payer deux mises sur quatre. Je jouais et perdais. Je remettais un vingt. Sous l'effet de l'amphétamine prisée aux toilettes, le temps s'égrenait à la vitesse grand V. Je remettais un vingt. Puis un autre vingt. J'ai mis mon dernier vingt et n'avais plus rien en poche.

Et ça y était, je venais de gagner quatre cent vingt dollars ! Les cloches aux quatre coins et en diamant, des cloches tout le tour de l'écran, toutes les putains de cloches dont j'avais besoin ! J'ai avalé ma salive avec peine, mon envie de crier ma joie aussi. J'ai lu avec plaisir la jalousie dans le regard de la vieille pauvre qui misait sur la machine juste à côté de la mienne. *Quatre cent vingt dollars, ma vieille picouille, ça te remettrait sur les rails, ça !* J'ai retenu cette réflexion, mais je jouissais par en dedans. *On ne jouit bien qu'en se retenant*, écrivait Romain Gary. Eh bien, je me retenais et jouissais bien, mon Romain ! Mon algorithme fonctionnait, la preuve était établie. Je pourrais écumer les machines à sous et les casinos de la province. Tout était possible.

Sonya et moi avons fêté à grands coups de Goldschlager. Elle m'a invité à poursuivre dans la cocaïne, décidément une manie chez les barmaids, mais j'ai refusé. Je suis un homme responsable. Je devais rencontrer ma mère. C'était ma première priorité, comme disent les grands chefs. Mais je lui ai promis de revenir le soir même m'enligner quelques flocons sur sa généreuse poitrine, du mieux que mon nez cassé me le permettrait. Après quelques coups de langue partagés, j'ai quitté le bar, un pied devant l'autre avec un petit pas de côté.

Le soleil de midi est violent pour le peuple de l'ombre. Il faudrait noter cette réflexion, c'était un titre de recueil de poèmes, ça. Ça devait être bien payant de publier de la poésie, c'est un genre noble. Ça devait aller chercher dans les six chiffres, un bon poète au Québec. Il devait aussi exister une grande fraternité entre les poètes, et plein de femmes qui veulent poser nues pour les inspirer. Oui, j'allais faire de la poésie, entre deux albums de rap. Avec les revenus des machines en plus, aucun doute, j'allais me faire des couilles en or et passer à l'histoire. Tant qu'à être au monde, autant le marquer.

Pour l'instant, le soleil m'assommait et je notais surtout que l'alcool m'avait pas mal étourdi. J'éprouvais de la difficulté à marcher. Heureusement, ma voiture était garée tout près. Valait mieux rentrer faire une sieste avant de retrouver maman.

Je pisse assis, moi! C'est plus propre, d'abord. Et c'est la position du penseur, aussi. La salle de bain est un lieu de recueillement. Dans le plaisir de soulager une vessie prête à fendre, il y a également celui de la méditation. Lorsque je suis arrivé à la maison, j'ai presque déboulé l'escalier jusqu'aux toilettes dans le désir de libérer mon corps d'une double tension. Et je me suis assis dans la pisse. Oui, on avait pissé sur le bol de toilette. De la pisse d'Indien, de surcroît. Mes envies se sont évanouies d'un seul coup, ne me laissant que celle de traîner Apunam par la moustache et de lui écraser la face dedans. Question d'éducation.

Je suis entré dans sa chambre sur l'élan du coup de pied que j'avais infligé à sa porte. Il s'est redressé sur son lit, d'un seul jet, pointant une longue lame vers moi. Il balbutiait du créole indien entrecoupé de *Non no non no non*. Le couteau a calmé mes ardeurs, je dois le reconnaître. C'était de la belle lame, un bon dix à douze pouces d'acier, avec double tranchant et tout. Presque une épée. Je me demandais s'il s'était procuré l'arme après notre première rencontre où j'en brandissais une moi-même, pour me donner le change, ou s'il était de nature défensive.

Keep calm and do your shit, affirme un de mes t-shirts favoris. Fabriqué en Inde, d'ailleurs. Je ne me suis pas laissé démonter et j'ai engueulé Apunam, lui expliquant qu'il devait pisser assis à partir de maintenant. Il ne comprenait rien, son immersion française demeurait à faire. Pour l'aider, j'ai mimé un homme se tenant le pénis pour uriner puis s'égouttant l'organe à l'aide de mouvements vifs. Il a paru encore plus effrayé qu'à mon arrivée et répétait *Non no no non* en se recroquevillant dans son lit. Il croyait que je voulais le baiser, ce con.

Listen me, Apunam ! Tu m'understand ?

No no non ! Don't, don't !

Keep calm ! I don't you want to piss on the toilet. Is it clear ? Je suis clair ?

No no !

Yes ! Listen me, je te dis ! Yes you piss don't on the toilet, OK ? Yes ?

Yes, yes, mister. Il était sur le point de pleurer, le pauvre Apunam. Il tremblait de partout. Fallait pas s'en faire autant pour une histoire de pipi sur la toilette non plus. Tous les colocataires du monde vivent des mésententes, à l'occasion. C'était un sensible, Apunam.

Je l'ai laissé réfléchir là-dessus, refermant poliment la porte derrière moi. Je suis retourné faire mes petits besoins, me promettant de lui voler son poignard à la première occasion.

Soulagé, j'ai regagné ma chambre et me suis assoupi dans le temps de le dire, et de me détendre.

J'ai fait un cauchemar dont je ne me rappelais rien. C'est pire quand on ne s'en souvient pas. Je me suis levé avec un vide lourd à la poitrine et une peur diffuse.

Un peu fripé de la série de verres de fort de l'avant-midi aussi. Je me suis vite remis de mes émotions en tâtant mes poches de pantalon. J'avais une belle liasse mais, surtout, une preuve de la justesse de mes théorèmes. J'étais impatient de rejouer pour m'enrichir plus encore, me repayer tout ce que ces machines m'avaient déjà volé puis faire exploser ma marge de profit.

Enivré d'enthousiasme, je me suis étonné en voyant l'heure. Il était près de dix-huit heures. C'est plus qu'une sieste qui m'avait emporté. Je devais avoir accumulé de la fatigue. En y repensant, j'ai réalisé que les trois dernières semaines avaient été chargées et que j'avais peu dormi, au final. Je considérais quand même que c'étaient les émotions qui m'avaient épuisé. C'est physique, les émotions. Comme dans les ateliers de groupe qu'ils nous imposaient en centre fermé, j'essayais d'identifier toutes les émotions vécues dans les dernières vingt-quatre heures. Avec le braquage, le travail, la victoire au jeu et la visite chez ma mère qui s'annonçait, il y en avait trop, je perdais le fil.

J'ai poursuivi ma réflexion sous la douche. Vraiment, les humeurs, ce n'est pas fiable. Il suffit d'un rien pour plonger ou s'envoler. Par la grâce de Dieu, restent les drogues, les médicaments et l'alcool pour nous stabiliser. Devant le miroir, j'ai fumé ma dernière clope mentholée en m'aspergeant de parfum. J'avais encore quelques rougeurs au visage et des marques marbrées de mauve et de jaune aux côtes, mais je me rétablissais bien. Avec mon tatouage au cou, j'avais l'allure d'un vrai mafieux, riche et sexy. J'ai enfilé ma plus belle chemise, celle avec des flammes, et j'ai quitté la maison.

J'allais monter dans ma voiture lorsque la propriétaire de la maison m'a hélé. Elle se tenait devant l'entrée principale. Les cheveux en chignon, en pantalon de coton ouaté, elle me faisait signe de la rejoindre. Pas de classe, la vieille. Elle avait dû hériter de la maison. J'aurais parié qu'elle n'avait jamais travaillé.

J'te l'ai dit, je vais te payer les deux semaines samedi. J'ai employé mon ton à demi conciliant, à demi exaspéré, le ton habituel du locataire.

Oui, ça, c'est certain, il faut que tu me payes samedi, mais je veux savoir ce qui s'est passé avec le nouveau chambreur.

Avec l'Indien ? J'étais surpris.

Oui, l'Indien. À moins que quelqu'un me loue une chambre en cachette, y a juste vous deux. Il veut partir et que je lui rembourse sa semaine. Il pleurait presque, qu'est-ce qui s'est passé entre vous deux ? Elle plissait ses sourcils. Ça met de l'emphase.

Aucune idée, je sais pas de quoi tu parles. Il a peut-être des bronches de fillette, c'est humide au sous-sol. J'ai reculé aussitôt et lui ai fait un signe de tête, poli mais ferme. Je devais partir.

On va s'en reparler. Oublie pas de me payer samedi, on est pas supposés faire crédit. Je l'ai remerciée et j'ai filé sur-le-champ.

Alors il était indien ascendant Balance, le petit Apunam. Il me le paierait.

En chemin, je me suis arrêté au dépanneur. C'est toujours à contrecœur que j'achète mes cigarettes.

C'est du vol, surtout qu'on paie un maximum de taxes. Ce n'est pas innocent qu'elles soient gardées derrière le comptoir, ils savent qu'on les piquerait pour éviter d'engraisser l'État. Je vole souvent de l'alcool ou des jujubes pour compenser.

Je glissais deux barres de chocolat dans ma poche quand j'ai entendu mon nom, le vrai. Saisi, je me suis retourné et je suis tombé face à face avec Jenny, la grosse, qui avait maigri. Beaucoup, depuis mon passage dans sa famille d'accueil. Elle était presque jolie. J'ai joué la carte de l'intérêt et me suis étonné de sa présence en ville, ai voulu en connaître les détails et tout et tout. Elle était à Sherbrooke pour les études, en science politique. Ses parents allaient bien, elle les saluerait. Rocket était mort depuis trois ans déjà.

J'suis désolé, vraiment, Jenny.

Ouais, il était important pour nous, c'était un membre de la famille. J'allais lui faire remarquer qu'il était le seul à ne pas être obèse, mais j'ai décidé de m'abstenir, ça risquait de brûler mes chances de l'appâter. Je cherchais un sujet accrocheur pour alimenter la conversation sans cesser de lui caresser les seins, dans ma tête.

Toutes mes condoléances. C'était un bon chien. C'est profitable d'insister sur le vécu de la cible, qu'elle se sente intéressante et unique.

Oui, merci… Je sais pas si tu as su, mais pas long-temps après que tu sois parti, Benjamin s'est suicidé. Elle a détourné le regard à la fin de sa phrase, comme si elle regrettait de l'avoir dite.

Il s'est suicidé au complet ?

Comment ça, au complet ?

Euh… jusqu'au bout, il est mort ? Dans mon expérience familiale, le suicide était une longue démarche, un processus impliquant des transports en ambulance, des hospitalisations et des traitements. On ne se suicidait pas d'un seul coup, comme ça.

Oui, il est mort, à la maison. On a cessé d'être famille d'accueil après ça. Je l'écoutais, vraiment, quand on m'a signalé que mon tour était venu. J'ai commandé deux paquets à la caissière tout en cherchant une accroche pour Jenny. J'en étais incapable, le visage de Benjamin me revenait en tête. Avant et après que Steve et moi l'avions tabassé. C'est con de se suicider, surtout jeune. On ne devrait pas mourir avant de commencer à vivre.

J'ai empoché mes cigarettes et j'ai proposé à Jenny d'aller prendre un verre, pour discuter. Et plus, puisque je créerais de l'affinité. Mon deuil de Benjamin était fait et je revenais à l'essentiel, mes besoins. Jenny a décliné l'offre, prétextant qu'elle avait trop d'étude à faire. J'ai voulu obtenir son numéro ou lui fixer un rendez-vous, mais elle a répondu préférer qu'on en reste là, que ce serait trop bizarre de se revoir. Elle avait beau avoir perdu cinquante livres, c'était toujours une grosse conne.

18
La persévérance

En arrivant chez ma mère, je n'y arrivais pas. Ça sentait le crucial à plein nez, cette rencontre-là. On avait brisé la glace, il nous fallait maintenant plonger ensemble dans les eaux froides des retrouvailles. Maman devait partager mes craintes. Elle devrait me recevoir chez elle, ce n'était pas rien. Elle me dirait de ne pas regarder le désordre et se désolerait de n'avoir rien de bon à m'offrir alors que son réfrigérateur débor-derait de bonne bouffe. Peut-être qu'elle voudrait me garder pour la nuit. Je refuserais. Pas le premier soir.

Je suis resté sur le trottoir à jongler avec les images de la rencontre à venir. J'ai dû faire le piquet durant une heure, au minimum. Au fond de mon incons-cience, je désirais qu'elle me voie et vienne me cher-cher, enfin. Qu'elle traverse la rue ou, au moins, me fasse de grands signes par la fenêtre. Mais les rideaux étaient tirés. Il était tôt, pourtant.

J'appréhendais la présence du Grec aussi, même si je n'osais pas me l'avouer. Je ne suis pas une chochotte et ça ne donnait rien d'y penser. Dans la vie, il faut se lancer sans se poser de questions. Les questions font naître les doutes et les doutes attirent le trouble. Quand on est décidé, il faut foncer dans le mur jusqu'à ce qu'il tombe. Je suis un homme décidé. J'allais rencontrer ma mère le soir même. J'ai fumé un dernier joint en mâchant de la gomme, pour l'haleine.

Évidemment, c'est Zorba qui est venu me répondre. Il a ponctué l'accueil d'un sacre typiquement québécois. Il s'intégrait, le Grec. J'ai entraperçu ma mère, derrière lui, au téléphone. *C'est lui, c'est lui*, répétait-elle. Elle devait parler à une de mes tantes ou à quelqu'un d'autre de la famille, impatient de me revoir.

Le poilu n'était qu'une écharde sur mon parcours. Je me suis avancé et l'ai poussé d'une main. Il n'a pas bougé. L'écharde se révélait être une véritable poutre dans le cul, comme disent les Anglais. Il a profité de l'effet de surprise pour me repousser en bas du petit balcon. J'ai dévalé les marches à reculons mais ne suis pas tombé. Je le lui ai fait remarquer, d'ailleurs.

Bravo, gros bras, j'suis même pas tombé ! J'ai noté que ma voix s'éraillait un peu. Ça manquait de prestance.

Peut-être, mais t'es pas tombé sur le bon gars non plus, mon petit christ. Les Grecs sont très croyants, c'est héréditaire.

Il a sauté les trois marches pour me rejoindre directement dans l'entrée de cour. J'étais accoté, voire acculé, à la voiture de ma mère et j'évaluais mes options. Je n'étais pas venu pour me battre, j'en avais eu ma dose dans les dernières semaines. Ma mère voulait me voir, je le sentais. Je voulais la voir aussi, c'est même tout ce que je voulais. Elle était peut-être séquestrée. Dans tous les cas, son gros contrôlant de Grec faisait obstacle. Il fallait le contourner.

Si j'arrivais à entrer dans l'appartement et à refermer derrière moi, j'aurais un moment de répit avec ma mère, on pourrait s'enfermer ensemble. Sinon, on aurait le temps de se donner un rendez-vous secret, ailleurs. Je devais me faufiler dans l'appartement avant que le Grec me rattrape. D'une grande enjambée, j'ai pris mon élan et j'ai été assommé aussitôt. Il m'avait cogné sur la tempe, le barbare.

Je n'avais posé qu'un genou à terre, on était loin du knock-out. Je me suis relevé et j'ai levé ma garde. *Gros con, laisse-moi donc voir ma mère !*

Mais c'est pas ta mère ! Tu comprends pas ? Va te faire soigner !

Les mots marquent plus sûrement que les coups. Il devait se taire à tout prix, même si je ne croyais rien de ce qui lui sortait de la gueule. Je ne voulais pas que ses paroles me tachent, salissent nos retrouvailles, il devait se taire. J'ai essayé de le saisir au visage, mais il m'a frappé avant même que je l'atteigne. *Pas le nez, fuck de fuck, pas le nez !* Le nez.

Je goûtais mon sang, ça me coulait sur les lèvres et dans la gorge. Mais je n'étais pas tombé. L'honneur était sauf. Malgré le voile de larmes, je l'ai vu retourner vers ma mère. Un de ses bras poilus l'a prise par l'épaule et ramenée à l'intérieur. Ses bras. Tout ce que je voulais, moi, c'était une caresse de ma mère.

Les derniers mots du matamore me roulaient dans la tête. *On a appelé la police, t'es recherché.* Je devais partir vite. Je me suis essuyé les lèvres de la main droite et j'ai laissé une traînée de mon sang sur la voiture blanche de maman. Je lui abandonnais un peu de moi. Du sang et du regret. Même dans la tragédie, je suis un grand romantique.

Je suis parvenu au coin de la rue en me bouchant le nez. C'était inutile, ça me coulait entre les doigts, à flots, et laissait une piste derrière moi. J'arrivais à ma voiture quand j'ai perçu le bruit des sirènes. Il avait vraiment appelé les chiens, le salaud! Je me demandais si ma mère avait tenté de l'en empêcher. Je me questionnais aussi sur cette histoire de recherche. On me recherchait pour quoi? Comment l'avait-il su?

Ma vengeance serait atroce. Ma haine prenait des proportions gargantuesques. Entre le Grec et moi, c'était devenu une affaire personnelle.

Le lendemain matin, le miroir ne me trouvait plus beau du tout. Je n'avais plus l'allure d'un mafieux mais celle d'un boxeur manchot à la fin d'une longue carrière. J'avais espéré que la nuit allait replacer les choses, dont mon nez. Au contraire, il était plus croche que mes dents et mes pensées, c'est dire. Dommages collatéraux habituels, les yeux au beurre noir étaient revenus. Au beurre mauve, dans mon cas.

En sortant de la salle de bain, j'ai croisé Apunam qui allait s'enfermer dans sa chambre avec un bol de céréales. La poignée n'était pas encore réparée et je suis entré. Il s'est étouffé dans ses céréales. Si c'est ça, la force ouvrière de la puissance émergente, on est tranquilles. Une vraie chochotte. Je lui ai demandé, signes à l'appui, s'il avait un téléphone. Il l'a sorti de sa poche avec peine tant il était secoué. Il devait croire que les blessures étaient contagieuses, pauvre homme. Je l'ai remercié et j'ai appelé ma mère. La tragédie avait assez duré. Je voulais lui donner rendez-vous, ce matin même, loin de son geôlier.

L'emprise du métèque était telle que la ligne téléphonique de ma mère était hors service. Il avait fait changer le numéro. Voilà qui confirmait davantage encore la violence conjugale dans laquelle ma mère marinait. J'avais vu un reportage là-dessus. Les hommes violents, comme lui, isolent leurs victimes. Ils coupent les ponts avec l'entourage, les amis et, bien sûr, la famille.

Il fallait sortir ma mère de ce nid de guêpes.

Je suis arrivé au restaurant, fermement décidé à repartir au bras de ma mère. Elle vivrait dans ma chambre ou on en louerait une à l'hôtel, si les Indiens l'insupportaient. À partir de ce matin-là, elle serait libérée de la violence conjugale.

Sa voiture n'était pas dans le stationnement. C'était de mauvais augure. J'ai compris qu'on manigançait contre moi, que ses collègues étaient de mèche avec son bourreau. Toutes les serveuses me dévisageaient, et pas seulement parce que je l'étais, dévisagé. Je voyais la suspicion et le jugement dans leurs petits yeux cruels. J'en ai remarqué une, au téléphone, planquée derrière une colonne. C'était une informatrice, sans doute. Elle était en communication avec le Grec ou avec la police. Je suis parti, pour mieux revenir. Ma liste de vengeance devenait un bottin.

Maman n'était pas à la maison non plus. Où pouvait-il l'avoir séquestrée ? Je n'avais pas son nom ni son adresse. Je ne pouvais pas me taper tous les patronymes grecs de l'annuaire. Et encore, il était peut-être issu d'une autre tribu de poilus que les Grecs. Je pourrais m'informer auprès d'Apunam.

On n'est jamais si seul que par soi-même. Personne à qui me confier, personne à contacter, et ma mère était en danger. J'avais envie de parler, pire, besoin même. Je me noyais dans une bouillie d'affects fétides. Même les psys qui animaient les ateliers de gestion des émotions n'auraient pu les identifier tant j'en ressentais. J'étais blessé, inquiet, apeuré et plein d'autres émotions aussi, sûrement.

Tous mes plans étaient chamboulés. Je n'étais plus censé retourner au boulot, surtout que c'était le jour de paye. Je réalisais l'impossibilité de recevoir mon chèque par la poste sur la rue Prospect désormais. Il serait intercepté. Il fallait rentrer au boulot et le recevoir en main propre. Je pourrais me réconcilier avec

Reynald et, par la même occasion, me confier à lui, à mots couverts. J'envisageais même de faire une dernière journée de travail. Malgré nos accrochages, je m'y étais attaché, à ce Reynald. Et je trouverais une façon de ne pas lui remettre son dû le jour même, voilà tout.

En arrivant au travail, j'allais déjà mieux. Je m'attendais à un accueil chaleureux des employées. En me voyant le visage, elles n'en reviendraient pas que j'aie défendu une fille sur le point d'être agressée au parc par deux hommes masqués. Laura serait particulièrement impressionnée.

L'accueil a été froid. Un petit cercle fermé était déjà en conciliabule, on s'est à peine tourné vers moi. Juste assez pour m'éclairer de leurs regards étonnés et suspicieux. C'était la journée. Je suis passé près de Laura, fier, et j'ai pris les clés du camion sur le comptoir.

Qu'est-ce que tu fais là ? Elle n'était pas si belle, au final. Surtout avec cet air pincé de personne responsable.

Je prends les clés du truck. Reynald est en retard. Je vais l'attendre dehors. Je cherchais une insulte subtile, une remarque blessante pour conclure. Je n'avais pas de comptes à rendre à cette lesbienne.

Non, Reynald était à l'heure, lui. Mais deux policiers l'attendaient. Une de ses voitures aurait été vue sur le lieu d'un vol. Si c'est celle qu'il t'a vendue, t'es peut-être mieux d'attendre ici ou d'appeler au poste. Merde !

Ça se pourrait, on me l'a volée.

Hein ? Pour vrai ? Elle s'est penchée pour avoir une meilleure vue sur le stationnement.

Avant qu'elle ne dévoile la présence de la voiture, j'ai repris le contrôle de la conversation, sous l'œil attentif des deux autres chipies.

Je me la suis fait voler par mon colocataire. J'ai réussi à le retrouver et à la lui reprendre, mais j'ai aucune idée de ce qu'il a fait avec, c'est un Indien.

Ton Indien cueilleur de thé chinois ? Les sourcils froncés lui allaient encore plus mal que son air pincé. Non, Laura n'était pas jolie du tout.

Oui, c'est ça, c'est lui. En tout cas, y a de la job à faire, pis je dois laver l'extérieur du camion. Si la police appelle, je vais être dispo, mais sur la route. Je reviendrai, s'il le faut. Je suais comme un porc à la plage.

Attends, t'as pas le droit ! Laura m'a suivi dehors, les autres pimbêches à sa suite. J'ai récupéré mes cigarettes et mes dernières amphétamines dans la voiture en lui faisant mes adieux. Ma première voiture, quand même.

Non, tu peux pas partir avec le camion. Je dois appeler Carole avant. Les chipies hochaient la tête en appui. Il fallait l'approbation de la directrice.

Reynald m'a dit que j'étais prêt à chauffer le truck et à travailler seul. Appelez-moi s'il se passe quelque chose. Je repasserai chercher Reynald à son retour. J'ai repoussé Laura, avec succès.

Elle chignait encore, tapait à ma fenêtre alors que je m'engageais sur la route. Ça y était, comme dans les livres, comme dans les films. J'étais en cavale.

Le camion présentait plusieurs avantages. Je pourrais m'y installer plus à mon aise pour dormir, le réservoir d'essence était plein et, surtout, j'avais accès aux produits anesthésiants dont, enfin, le fusil à fléchettes. Je pourrais m'en servir pour braquer un commerce ou me défendre contre les policiers, s'ils me retrouvaient.

Prévisible, Laura m'a appelé dans les minutes qui ont suivi. La radio a grésillé avant de laisser échapper sa petite voix nasillarde. *Appel du centre. Reviens tout de suite ! Il y a une urgence, tu dois revenir au central. Réponds. Réponds, s'il te plaît… Reynald est revenu.* Et mon cul, c'est du poulet ? Elle les avait déjà alertés, les poulets, sans doute.

Il fallait être efficace. L'adrénaline ne pouvait suffire. J'ai avalé deux amphétamines pour m'aiguiser l'esprit. La voiture avait été vue, où ? On me cherchait pour une piaule ou pour le braquage ? Sous quelle identité ? Quand reverrais-je ma mère ? Je fumais en série. C'était interdit dans le camion. Plus rien ne m'était interdit, j'étais en survie.

Avant de partir, ou fuir pour être plus précis du lexique, j'ai décidé de récupérer mes biens et tout ce que je jugerais utile dans la maison. En arrivant, j'ai entendu Apunam s'enfermer dans sa chambre. Je me suis dirigé vers la mienne, ai fourré tout ce que je trouvais dans mon sac de sport, puis dans mon sac à dos. Ensuite, j'ai enfoncé la porte de l'Indien avec deux solides coups de pied. Il avait fait glisser un bureau contre la porte, mais je suis arrivé à le dégager rapidement et à entrer dans son repaire. Il était debout, dans un coin de la chambre, aussi blême que peut l'être un Indien. Il tenait son long poignard, l'objet de ma convoitise, contre lui. Il n'osait plus le pointer.

Give it me, Apunam.

No, non.

GIVE IT ME, J'AI DIT ! La main tendue vers lui, j'ai avancé de deux pas. Il a laissé tomber le couteau sur le sol, réprimant un petit couinement. Il était attendrissant, Apunam.

J'ai ramassé l'arme et l'ai brandie vers lui. *You move don't, OK ? You stay. Tu restes là. Reste, Apunam !*

C'était inutile. En sortant de sa chambre, j'ai entendu la propriétaire, affolée, qui appelait les secours à l'aide. La police, assurément. Elle aurait mieux fait d'appeler un ébéniste, les chiens étaient déjà sur le coup et elle avait une porte à moitié arrachée au sous-sol. Je serais loin dans cinq minutes.

J'ai pris l'envers de l'emballage du paquet de cigarettes pour écrire un mot à ma mère. Les mots ne sont jamais faciles à trouver quand ils se cachent derrière les émotions. Je cherchais la phrase-choc, la formule qui lui ferait comprendre tout le regret que je ressentais à la quitter, pour l'instant. J'ai essayé de lui écrire un poème avec de belles rimes, mais je n'y arrivais pas. Le temps m'était compté. Tant pis, j'ai conclu à l'essentiel.

Je te retrouverai, toujours, je te retrouverai. Je reviendrai bientôt. Je t'aime, maman. Voilà qui la rassurerait.

J'allais déposer ces mots doux puis fuir, c'était le plan. Arrivé au coin de sa rue, j'ai repéré une voiture de patrouille devant l'immeuble. Les salauds m'empêchaient même de laisser une note d'adieu à ma mère. J'ai fait marche arrière, me jurant de poster cet écrit et un poème dès que possible.

Il fallait éviter les autoroutes, c'est là qu'ils m'attendraient. Je devais passer par les villages. Pour l'instant, il fallait traverser la ville. J'ai emprunté les rues secondaires de Sherbrooke, les connaissant à fond, maintenant. J'avais arraché l'émetteur radio, les invectives de Laura m'énervaient. J'ai écouté les informations, mais on ne parlait pas encore de ma cavale.

En passant dans la rue Montréal, j'ai remarqué trois chats sur un balcon. C'était le balcon de Mme Picard! La folle était sortie de psychiatrie et avait repris sa collection. J'ai enfoncé le frein, me suis tordu le cou pour mieux voir. C'était bien son appartement. J'ai repéré un quatrième chat à la fenêtre. Puis un cinquième! J'ai été envahi d'une bouffée de colère et de sens du devoir. Il me fallait libérer les chats et éduquer cette folle.

C'était insensé, je le sais. J'aurais dû rouler, juste fuir. Mais c'était plus fort que moi. On l'avait prévenue d'arrêter son manège, elle n'avait plus le droit d'avoir de chats chez elle. Elle ne respectait pas notre autorité, exposant des animaux au danger.

J'allais faire vite, l'engueuler et libérer les chats. J'en garderais un, pour la route. Ça me tiendrait compagnie. C'est ce que je voulais faire. C'est tout ce que je voulais faire, régler son cas en quelques minutes et repartir, sans dommages pour personne.

J'ai envisagé de la prendre en otage, aussi, si les policiers repéraient le camion. Sinon, la libération des chats serait un dernier acte professionnel, mes adieux au métier. J'ai traversé la rue au pas de course et grimpé les escaliers par paquets de quatre, me ruinant la cheville à nouveau. J'ai frappé à sa porte et, à mon grand étonnement, elle a ouvert aussitôt. Elle a reconnu ma chemise au sigle de la SPA et a tenté de refermer, mais j'ai bloqué la porte avec mon pied et suis entré d'un coup d'épaule. Renversée, elle est tombée sur la table du salon, puis sur le sol. Elle gémissait. *Mes minous, mes minous.* Déjà, plusieurs affamés profitaient de l'ouverture et dévalaient l'escalier.

Je l'imaginais plus grande, plus corpulente aussi. C'était une petite femme maigre et sèche, Mme Picard, fragile même. Sa robe de chambre fuchsia s'était ouverte sur un corps blême. L'image me troublait.

L'odeur de pisse et d'ammoniac, moins prégnante qu'au dernier passage, saisissait tout de même. J'ai résumé ma pensée en quelques phrases concises et dynamiques. Je l'ai laissée au sol et suis allé ouvrir les portes de la chambre et de la salle de bain. Une demi-douzaine de chats se sont enfuis, ignorant les supplications de la folle, qui se relevait en tentant de les attraper. J'ai jeté un œil rapide dans la chambre. Il n'y avait plus rien de valeur, c'était à prévoir.

Clément, j'allais partir sans autre cérémonial. Pour mes frais, je prendrais un chat devant la porte de l'immeuble, en libérant les autres. C'était compter sans la colère de madame. Elle s'est jetée sur moi, vagissant comme une damnée, me grafignant le visage et les bras. *Mes minous, mes minous !*

J'avais déjà reçu trop de coups en trop peu de temps. On a tous une limite.

J'aurais dû m'arrêter au premier coup de tête, mais j'étais envahi par la peur, la haine et je ne sais quoi. J'avais du sang dans les yeux, le sien et le mien. J'étais en sueur et désorienté. J'avais la conscience bien altérée aussi, je dois l'avouer. Les amphétamines ne m'avaient pas aiguisé que l'esprit.

J'aurais dû partir. La police risquait d'arriver. Il fallait dégager au plus vite. J'ai paniqué. Pour la première fois de ma vie, j'ai perdu le contrôle. Je la frappais sans arrêt. Au visage, aux côtes, au ventre, puis au visage encore. C'était un cauchemar, je frappais avec toute ma force, mais on aurait dit que mes coups ne portaient pas, que je frappais dans le vide. Malgré la douleur aux poignets et aux jointures, malgré tout le sang qui m'éclaboussait et m'aveuglait, il fallait cogner plus fort, encore et encore, à chaque coup. J'étais un ressort rouillé qui retrouvait sa force. J'avais trop accumulé, je crois. Tout ressortait. Ce n'était pas sa faute à elle. Je ne voulais pas la tuer personnellement. Mais je frappais sans arrêt. Mille fois.

Une décharge de douleur m'a percé la poitrine, un point sous les côtes du côté gauche. J'ai dû m'arrêter pour reprendre mon souffle. Ç'a été suffisant pour m'arrêter complètement. Mme Picard était inerte mais râlait bruyamment. Je l'ai laissée sur le plancher, j'ai fermé la porte de l'appartement, restée entrouverte tout ce temps. J'ai échoué à la cuisine et me suis servi un verre d'eau froide. Je suis resté assis à sa table de longues secondes, lunatique, me demandant pourquoi elle avait paniqué comme ça, pourquoi elle s'était jetée sur moi comme une folle. Je me répétais qu'ils auraient dû la garder à l'hôpital psychiatrique et je réalisais qu'on voudrait me garder, moi, en prison.

Elle râlait de moins en moins, s'étouffait parfois avec son sang. Elle mourait, probablement. J'hésitais encore un peu entre plaider la légitime défense ou la folie. La police arriverait d'une minute à l'autre. Il fallait réagir vite.

M'approchant, j'ai entendu son dernier souffle. Je crois que ça nous a soulagés, tous les deux. J'ai éloigné un chaton occupé à lui lécher le visage puis j'ai passé deux doigts sur ses lèvres fendues. Bien que la coagulation ait commencé, j'avais les doigts humectés. Suffisamment pour écrire sur le mur blanc du salon. J'ai dû retourner puiser de cette encre organique à trois reprises pour arriver à mes fins.

Étonné que la police ne soit toujours pas arrivée, n'ayant aucune idée du temps écoulé, je me suis dit que la cavale était encore envisageable. Je n'allais pas me faire cuire un gâteau en attendant d'être arrêté non plus. Je ne suis pas responsable de l'incompétence policière.

Avant de m'enfuir, j'ai fait un petit signe de croix à l'intention de Lucie. J'avais appris son prénom en prenant la chaînette qu'elle avait au poignet. Ce corps s'appelait Lucie Picard. Deux chats lui tenaient compagnie et léchaient ses plaies. J'ai jeté un dernier regard à mon graffiti, *C'EST LA FAUTE DES CHATS,* puis j'ai refermé derrière moi.

On dit que seuls les fous ne changent pas d'idée. J'ai changé. Plaider la folie serait compliqué et malhonnête. Surtout, je risquerais d'échouer dans un institut psychiatrique. Ce n'est pas ce que je veux, finalement. Je ne vois pas de contacts prometteurs à y faire. Je préfère retrouver les Russes et les Italiens dans une bonne prison à l'ancienne. Quitte à élargir le spectre de mes pratiques sexuelles. Je suis prêt à faire du temps dur.

Voilà pourquoi je consigne tout par écrit, pour qu'on sache d'où je viens et que je suis tout à fait conscient de mes gestes. Je veux aussi que ma mère entende ce récit au tribunal, qu'elle sache tous les efforts que j'ai déployés pour la retrouver, pour être avec elle. Je l'avoue, j'espère aussi qu'on va tirer un livre ou un film de mon vécu, mais ça, ce serait du bénéfice secondaire.

J'écris sans arrêt depuis trois jours maintenant. Marie-Josée était plus qu'étonnée de me voir débarquer chez elle. Moi, je n'étais pas surpris de voir que le test de grossesse relevait de la fabulation. Je n'étais pas étonné mais triste quand même. J'aurais aimé être père. Je sais que j'aurais fait un bon père, présent et doux. Marie-Josée m'a dit qu'elle l'avait perdu. J'ai perdu mon calme, encore.

Après un mensonge pareil, je me sens bien en droit d'utiliser son ordinateur et son appartement. Je la détache parfois, un peu, pour faire l'amour.

Je suis les progrès de l'enquête aux nouvelles. Il ne se passe pas grand-chose, on a retrouvé le camion aux Galeries de la Capitale et on diffuse ma photo de la bibliothèque municipale de Sherbrooke sur toutes les chaînes. Il doit y avoir toute une équipe d'inspecteurs et une division tactique sur mon cas. Ça ne devrait plus tarder.

Il ne me reste plus d'amphétamines à gober et le réfrigérateur est presque vide. Je n'ai plus les moyens de nourrir Marie-Josée et sa chatte. Ce serait con qu'elles meurent de faim. D'un autre côté, je ne peux pas me rendre. Ça me brûlerait, dans le milieu. Ça ne se fait pas.

Je n'ai plus rien à écrire. Je vais attendre encore une heure et j'irai faire un autre braquage, si la police n'arrive pas avant. Je n'ai pas le choix, il ne me reste que trois cigarettes.

Je suis un homme responsable. Je vais assumer les conséquences de mes gestes. J'accueillerai le jugement. Je ferai mon temps. Mais le plus dommage, avec la prison, c'est qu'on n'y tolère pas les animaux.

TABLE DES MATIÈRES

davidgoudreault.org

Pour suivre l'auteur :
www.davidgoudreault.org
twitter.com/DavidGoudro
www.facebook.com/Goudro

Suivez les romans Stanké sur le Web :
www.romansstanke.ca
www.edstanke.com

Cet ouvrage a été composé en Fournier 12,5/14 et achevé d'imprimer
en août 2016 sur les presses de Marquis imprimeur, Québec, Canada.

certifié   procédé sans chlore   100 % post-consommation   archives permanentes   énergie biogaz

Imprimé sur du papier 100 % postconsommation, traité sans
chlore, accrédité Éco-Logo et fait à partir de biogaz.